Passion football

Le football expliqué

Marc Simard
Mike Labadie

Passion football

Le football expliqué

Éditions Lauzier

Conception et mise en pages : Andréa Joseph [PageXpress]
Graphisme de la couverture : Christian Campana
Graphiques et illustrations : Lorraine Beaudoin
                    [Productions AlphaZULU]
Illustration de la couverture : Raymond Lafontaine
Photographies : Pierre Gignac
Révision linguistique : Johanne Forget et Johane Lajeunesse

Les Éditions Lauzier
editionslauzier@videotron.ca
Tél. : (450) 627-4093   Télec. : (450) 627-0204

Distribution au Canada :
Prologue, 1650, Lionel-Bertrand, Boisbriand, Québec, J7H 1N7
Téléphone : (450) 434-0306   Télécopieur : (450) 434-2627

Gouvernement du Québec – Programme de crédit d'impôt pour l'édition
de livres – Gestion SODEC.

ISBN 2-89573-036-9

Passion football. Le football expliqué.

© 2004, Les Éditions Lauzier, inc.
Dépôt légal 3ᵉ trimestre 2004
Bibliothèque nationale du Québec
Bibliothèque nationale du Canada

Imprimé au Canada

Avant-propos

Ce livre est né d'une passion partagée pour le football
nord-américain. Son objectif premier est d'aider l'amateur
de football à apprécier et à comprendre encore mieux ce
sport excitant et complexe. Il ne prétend pas épuiser le
sujet, car le football est une sorte de jeu d'échecs qui se joue
avec des humains, de sorte que les combinaisons sont pratiquement infinies. Sans compter qu'il a beaucoup évolué
depuis sa création au XIXᵉ siècle. *Passion football* est à la fois
un livre d'initiation au football et un approfondissement de
quelques-uns de ses aspects. Il satisfera autant le néophyte
que l'amateur et même le connaisseur par ses côtés ludique,
pédagogique et pratique. Il peut aussi bien être lu de
manière linéaire qu'utilisé comme ouvrage de référence
grâce aux nombreux outils (lexiques, index, tables, etc.)
qu'il comporte. Son format permet même de l'emporter
avec soi pour assister à une partie en direct. Posé sur la table
du salon pendant un match diffusé à la télé, il permettra de
mieux comprendre le déroulement du match et même les
stratégies et les tactiques des entraîneurs.

Ses auteurs sont des passionnés de football : Marc
Simard, qui a écrit de nombreux ouvrages à caractère pédagogique (*Histoire du XXᵉ siècle, Histoire de la civilisation*

occidentale, Papineau et les patriotes de 1837, etc.), est professeur de cégep et passionné de football depuis 35 ans; et Mike Labadie, fondateur et premier entraîneur du Rouge et Or de l'Université Laval, est toujours impliqué dans le football amateur par ses écoles de football et est connu pour ses qualités de vulgarisateur par les conférences (Football 101) qu'il a données sous l'égide de l'Association des Diplômés de l'Université Laval. Leur rencontre, celle de l'écrivain passionné et du spécialiste intéressé par la vulgarisation, a rendu ce livre possible.

Passion football explique les grandes règles du football tel qu'il est pratiqué à trois niveaux : dans la National Football League (NFL), ligue de football professionnel aux Etats-Unis; dans la Ligue canadienne de football (LCF), ligue de football professionnel établie au Canada; et au football amateur canadien, particulièrement dans sa branche universitaire. Il ne traite ni du football universitaire américain, ni du football pratiqué en Europe, ni de l'Arena Football League (football intérieur) ni du «flag» ou du «touch» football. Comme les explications qu'il contient traitent de trois types de football, avec des règles parfois différentes, il peut arriver que les auteurs aient simplifié une explication ou une règle pour faciliter la compréhension : nous nous en excusons.

Le livre est divisé en cinq chapitres, dont chacun peut se lire indépendamment des autres : 1) les grandes règles du sport, que les néophytes apprécieront particulièrement; 2) l'offensive, avec notamment une explication du rôle de chacun des joueurs de position, une présentation des principales formations, et la description et l'illustration de quelques jeux; 3) la défensive, dans un même esprit et avec de nouvelles illustrations; 4) les unités spéciales, décortiquées et expliquées dans leurs multiples possibilités; et 5) le rôle et la philosophie des arbitres ainsi que les principales infractions et leurs conséquences, regroupées dans quatre tableaux très clairs.

Le lecteur appréciera le caractère novateur et la qualité des illustrations, particulièrement de celles qui présentent des jeux ou des formations (il a été décidé de représenter le football canadien, qui compte 12 joueurs par équipe sur le terrain). L'illustratrice et graphiste Lorraine Beaudoin, qui ne connaissait rien au football avant ce travail, a pris le parti de la clarté et de l'innovation. Sa vision fraîche et ses qualités professionnelles l'ont amenée à développer une perspective différente et de nouveaux symboles qui facilitent la compréhension et rendent le décryptage des jeux et des formations beaucoup moins ardu. Les auteurs et l'illustratrice ont choisi de présenter l'offensive de dos et la défensive de face, rompant ainsi avec une certaine tradition. Cette divergence avec les livres de jeux que reçoivent les joueurs de football quand ils arrivent dans une équipe marque le caractère pédagogique de *Passion football*, destiné au grand public et non aux spécialistes. De plus, les auteurs ont créé un outil (l'échelle 2M) pour permettre au lecteur de comparer les principales qualités (vitesse, force, habileté à plaquer, etc.) des joueurs de position entre eux. Ces échelles n'ont aucune prétention scientifique et n'ont aucune autre valeur que comparative, car elles reposent davantage sur des appréciations qualitatives que sur des faits statistiques. Leur seul objet est d'agrémenter la lecture, de la rendre plus dynamique et ludique.

Passion football se veut en effet un ouvrage de vulgarisation ainsi qu'un compagnon pour l'amateur de football, bien que le contenu en soit sérieux et rigoureux. Le style en est vivant et concis. De nombreux tableaux, encadrés, illustrations et photographies le rendent plus attrayant et en font un ouvrage de référence aussi bien qu'un guide pendant les matchs.

Le lecteur québécois francophone appréciera aussi l'effort de francisation de ce sport né et principalement pratiqué chez les anglophones. Lors de ses premières occurrences, chacun des termes spécifiques du football est suivi (entre parenthèses) de son correspondant en anglais, pour faciliter la compréhension et permettre de faire les liens avec ce que le lecteur a entendu à la télé ou dans des jeux vidéo, ou encore lu dans des revues. Les auteurs ont même poussé l'audace, lorsque c'était possible, jusqu'à proposer eux-mêmes des termes en français quand il n'en existait pas : les spécialistes le leur pardonneront, nous l'espérons. De plus, le livre contient deux lexiques : un anglais-français et un français-anglais.

Bonne lecture et bon football.

Marc SIMARD et Mike LABADIE

Remerciements

Les premiers remerciements vont à Robert Plamondon, directeur du Centre de démonstration en sciences physiques du Cégep François-Xavier-Garneau et passionné de football (son fils Philippe a notamment joué pour le Rouge & Or de l'université Laval), qui a été la véritable cheville ouvrière de ce projet : il a mis les auteurs en relation et soutenu leur moral dans les moments de doute, et il a lu des parties du tapuscrit.

Plusieurs autres personnes ont contribué à la réussite de ce projet : Lorraine Beaudoin (Les productions Alpha-Zulu), illustratrice et graphiste, qui a fourni son aide inespérée et d'un grand professionnalisme dans un moment crucial et qui a produit des illustrations d'une grande clarté et d'une facture nouvelle, qui feront probablement désormais école ; Denis Bédard, enseignant en éducation physique au Cégep François-Xavier-Garneau et arbitre de football au niveau amateur, qui a lu et commenté les chapitres 1 et 5 et a accepté de revêtir son costume d'arbitre pour les photos qui illustrent le livre ; Pierre Gignac, photographe et spécialiste de l'audio-visuel au Cégep François-Xavier-Garneau, qui a sacrifié son heure de repas un jour où il était déjà débordé pour prendre des photos pour le livre; Jean Chabot, coordonnateur du programme de football des Alérions du Petit Séminaire de Québec et du programme de développement-football du mini-Rouge et Or de l'Université Laval, qui a lu et commenté le chapitre 1; Lucie Daignault, chargée de recherche et spécialiste de l'évaluation muséale au Musée de la Civilisation, qui a prodigué ses encouragements et ses conseils judicieux tout au long du projet; Xavier Daignault-Simard, amateur de la NFL et partisan des Cowboys de Dallas, qui a surmonté ses doutes initiaux pour formuler quelques remarques pertinentes; et finalement Karole Lauzier, dont la foi dans le projet et le travail acharné ont permis de produire le livre dans des délais outrageusement courts.

Sans oublier les membres du comité de direction de l'Association des Diplômés de l'Université Laval, qui ont cru à ce projet un peu surréaliste au départ et, par leurs encouragements et leurs propositions, lui ont insufflé de la vigueur.

À toutes ces personnes, comme à toutes celles qui ont encouragé les auteurs à persévérer, un grand merci.

Table des matières

Introduction

....

Le football nord-américain est un sport d'équipe. En fait,
c'est peut-être le sport où le concept d'équipe est le plus
important. Des onze ou douze joueurs (selon les ligues)
qui se trouvent sur le terrain en même temps pour chacune des équipes, chacun a un rôle précis à jouer à chaque
jeu. C'est pourquoi l'amateur averti ou l'expert de football
ne se contentera pas de regarder le ballon et le joueur qui
l'a en sa possession, puisque chaque joueur fait partie de
l'action à chaque jeu : on peut donc apprécier tout autant
le bloc d'un joueur de ligne ou le *blitz* d'un secondeur
qu'une passe réussie ou un long gain par la course.

C'est aussi un sport à la fois simple et complexe.
Simple parce que le néophyte pourra en comprendre les
grandes règles assez rapidement. Complexe parce que les
règles en sont parfois fort subtiles et que chaque jeu peut
être analysé sous des angles multiples. En fait, personne ne
peut prétendre en connaître toutes les subtilités, d'autant
qu'il évolue constamment grâce à l'inventivité des entraîneurs, à l'attaque comme à la défense. Après des années de
pratique et d'observation de ce sport, on s'émerveille
encore d'apprendre quelque chose de nouveau à chaque
match ou presque.

Sport de stratégie et de ruse, le football peut être sous cet angle comparé aux échecs. Chaque entraîneur dispose d'un livre de jeux à l'attaque comme à la défense, concocte des stratégies et des tactiques pour toute situation pouvant se présenter pendant un match, multiplie les formations à l'attaque et les couvertures défensives pour confondre l'adversaire, étudie l'équipe adverse et les tendances de son entraîneur dans les jours qui précèdent la partie, utilise les habiletés de ses joueurs au maximum et organise un plan de match par lequel il tente de minimiser les faiblesses de son équipe. Les feintes, les jeux d'influence (amener un joueur à croire que...), les ruses, les jeux truqués, tout est bon pour déstabiliser l'autre et pour s'emparer du momentum.

L'histoire du football nord-américain a commencé en Angleterre au XIXe siècle quand un joueur de football (soccer) a décidé de prendre le ballon dans ses mains au mépris des règlements, ce qui donna naissance au rugby. Importé aux États-Unis au milieu du siècle, ce nouveau sport a encore évolué, notamment quant à la forme du ballon, devenu ovoïde. Renommé football, il devient populaire dans les collèges et les universités et est parrainé par la National College Athletic Association (NCAA). Dans les années 1880, un joueur de l'Université Yale, Walter Camp, suggère des modifications aux règlements, créant ainsi dans ses grandes lignes le football tel qu'il existe aujourd'hui. C'est au début du XXe siècle qu'apparaît le football professionnel, au Canada comme aux États-Unis. Depuis Walter Camp, les règles ont évolué, notamment pour favoriser la passe avant aux dépens du jeu au sol, et l'emphase a graduellement été mise sur la qualité du spectacle et sur le plaisir d'y assister pour l'amateur. Des activités entourant chaque partie, comme le festin d'avant match (*tailgate party*), ajoutent à l'ambiance et contribuent à l'atmosphère bon enfant qui caractérise ce sport.

Le présent livre explique les grandes règles ainsi que quelques stratégies, tactiques et jeux du football nord-américain (NFL, LCF et football amateur canadien). Il vise à mieux faire comprendre le football au néophyte et à l'amateur moyen, qu'il assiste aux matchs en personne ou qu'il se transforme en patate de canapé le dimanche après-midi ou le lundi soir (NFL), ou tout autre jour de la semaine (LCF). De nombreux encadrés répondent aux questions que se posent la plupart des amateurs, comme «quelles règles entourent la substitution des joueurs?» ou «quelles sont les différences entre le football canadien et le football de la NFL?». Des lexiques (anglais-français et français-anglais) facilitent la compréhension de la partie et contribuent à la francisation des termes. Des photos permettent de visualiser les signaux des arbitres. Les positions des joueurs, des formations offensives, des jeux à l'attaque et des couvertures défensives sont illustrés avec clarté et de manière novatrice.

Le football est avant tout un sport, un jeu passionnant qui procure beaucoup de plaisir aux amateurs. Ce livre veut contribuer à développer ce plaisir et transmettre la passion de ses auteurs.

CHAPITRE 1

Les principales règles du football amateur et professionnel (LCF) canadien ainsi qu'américain (NFL)

LES DIMENSIONS DU TERRAIN ET LE MARQUAGE

Comme tous les sports de balle, le football se joue sur un terrain aux dimensions précises (que l'on compte en verges [*yards*], puisque c'est un sport d'origine anglo-saxonne). On doit toutefois noter que celles-ci peuvent varier.

- Au football canadien amateur et professionnel (LCF), le terrain mesure 150 verges de long (soit 110 verges entre les lignes des buts, plus la profondeur de chacune des zones des buts, soit 20 verges chacune) et 65 verges de largeur.

- Au football américain de la NFL, le terrain a une longueur de 120 verges (10 verges de profondeur pour chaque zone des buts plus 100 verges entre celles-ci) et une largeur de 53,35 verges.

POURQUOI CERTAINES LIGNES SONT-ELLES MARQUÉES DIFFÉREMMENT DES AUTRES?

Au football américain (NFL), les lignes se situant à vingt verges de chaque zone des buts ainsi que la ligne du centre du terrain peuvent être encadrées de lignes de couleur de chaque côté pour les faire ressortir, à cause de leur importance symbolique: le centre du terrain marque le changement de zone, tandis que la ligne de 20 indique que l'équipe à l'attaque se trouve dans la zone payante (*red zone*). Cette dernière ligne est aussi celle où se font les remises en jeu après: 1) qu'un botté d'envoi (*kick off*) ait traversé la ligne de fond dans les buts ou que le receveur de bottés (*kick receiver*) ait mis un genou au sol après avoir capté le ballon dans la zone des buts (*touchback*); 2) qu'un botté de dégagement (*punt*) ait franchi la ligne des buts (*touchback*); 3) qu'un joueur de la défensive ait réussi une interception (*interception*) dans sa zone des buts et y ait été plaqué ou y ait mis le genou au sol. Au **football canadien**, les lignes de 45 et de 35 verges sont doubles.

Le terrain est marqué de plusieurs **lignes et signes**.

● D'abord, quatre lignes formant un rectangle délimitent le terrain de ce qui est hors limites (*out of bounds*): ces lignes formant rectangle (deux lignes de fond [*end lines*] et deux lignes de côté [*side lines*]) ne font pas partie de la surface de jeu.

Au football de la NFL, elles ont une largeur de 2 verges.

● Ensuite, de chaque côté du terrain en largeur, un court trait, situé sur la surface de jeu et jouxtant les lignes de côté (*side lines*), indique chacune des verges à parcourir entre les zones des buts (*end zones*).

● De plus, des lignes blanches qui traversent le terrain dans toute sa largeur, d'une ligne de côté à l'autre, le divisent en zones de cinq verges chacune.

● À chaque dix verges de distance, des chiffres indiquent la distance qui sépare la ligne sur laquelle ils sont situés de la zone des buts (C [pour centre], 50, 40, 30, 20 et 10 aux footballs canadien professionnel et universitaire ; 50, 40, 30, 20 et 10 au football américain), à partir du centre.

● La ligne qui sépare la surface de jeu proprement dite de la zone des buts est plus large que les autres lignes, et elle fait partie de la zone des buts (de même que les courts pylônes orangés qui sont fichés en terre à chaque extrémité de celle-ci).

● De plus, de courtes lignes rapprochées du centre du terrain et situées vis-à-vis le marquage de chacune des verges sur le côté, les **traits de mise en jeu** ou **hachures** (*hash marks*), ont deux fonctions : 1) aider les officiels à déterminer la progression d'une équipe et par conséquent l'endroit où se fera la remise en jeu en termes de verges à parcourir ; 2) ramener, dans le sens de la largeur, toutes les remises en jeu entre ces deux lignes, même si le jeu s'est terminé à l'extérieur de celles-ci. Elles sont éloignées de 24 verges chacune de la ligne de côté la plus proche au football canadien et de 23,3 verges au football de la NFL.

● Divers logos et symboles peuvent aussi être dessinés sur le terrain, le plus souvent au centre de celui-ci et dans les zones des buts.

Enfin, des **poteaux des buts** sont aussi situés à chaque extrémité du terrain (à l'extérieur de celui-ci au football américain, sur la ligne des buts au football canadien), en plein centre. Ils sont en forme de fourche et servent pour les placements (*field goal*) et les transformations (*conversion* ou *point after*). Leur barre horizontale est située à 10 pieds du sol ; leurs poteaux verticaux sont écartés de 18 pieds 6 pouces et montent jusqu'à une hauteur de 40 pieds.

LE NOMBRE DE JOUEURS PAR ÉQUIPE

Au football amateur et professionnel (LCF) canadien, le nombre de joueurs de chaque équipe présents sur la surface de jeu pour un jeu donné est douze (12) ; au football américain (NFL) il est onze (11). Ce surnombre en faveur du football canadien s'explique par le fait que le terrain y est plus large et plus profond. Comme chaque équipe doit avoir une unité à l'attaque, une unité défensive et des unités spéciales (pour les bottés), le nombre de joueurs

Les dimensions et le marquage du terrain au football canadien

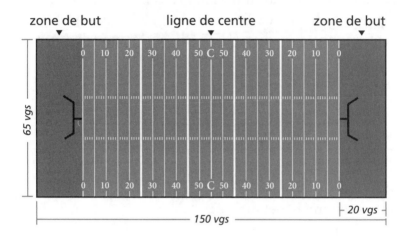

Les dimensions et le marquage du terrain au football américain (NFL)

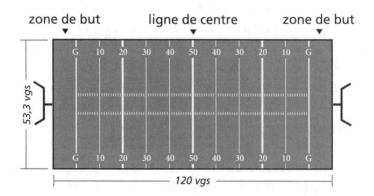

que doit habiller chaque équipe pour un match est beaucoup plus considérable : en général, autour de 45 dans la NFL, 42 au football universitaire canadien et 37 dans la Ligue canadienne de Football (LCF) ; de plus, au football professionnel canadien (LCF), chaque équipe doit habiller 19 Canadiens et 18 joueurs étrangers (le plus souvent des Américains).

Les joueurs sont à peu près répartis ainsi :

quarts-arrières	2 à 4
demis offensifs	4 ou 5
ailiers rapprochés et espacés	5 à 8
joueurs de ligne offensive	7 à 10
demis défensifs	7 à 9
secondeurs	5 ou 6
joueurs de ligne défensive	6 à 8
botteurs (de dégagement et de précision)	2

Chaque joueur porte un numéro qui est parfois déterminé par sa position. Cette règle est liée aux règlements du jeu, qui veut que certains joueurs peuvent accomplir certaines tâches, mais pas certaines autres sur le terrain : elle facilite aussi le travail des arbitres. Ainsi, au football de la NFL, un joueur de ligne offensive, qui porte un dossard numéroté entre le 50 et le 79, ne pourra pas recevoir de passe ou porter le ballon, règle générale. Au football canadien, un receveur éligible devra porter un numéro se situant entre le 1 et le 39 ou entre le 70 et le 99.

Quels numéros porte chaque catégorie de joueurs ?

POSITIONS	Football amateur canadien (les joueurs portant des numéros entre le 40 et le 69 ne sont pas éligibles pour recevoir une passe, mais ils peuvent porter le ballon).	Football canadien professionnel (LCF) (les joueurs portant les numéros entre le 40 et le 69 ne sont pas éligibles pour recevoir le ballon).	Football professionnel américain (NFL) (un système de numérotage selon les positions sur le terrain s'applique ; les joueurs portant les numéros entre le 50 et le 79 ne sont pas éligibles pour recevoir le ballon).
quarts-arrières (*quarterbacks*)	1 à 39 ; 70 et plus	1 à 39 ; 70 et plus	1 à 19
botteurs (*kickers* et *punters*)	aucune restriction	aucune restriction	1 à 19
demis à l'attaque (*backs*)	1 à 39 ; 70 et plus	1 à 39 ; 70 et plus	20 à 49
centre (*center*)	40 à 69	40 à 69	50 à 59
joueurs de ligne à l'attaque (*offensive linemen*)	40 à 69	40 à 69	60 à 79
ailiers insérés, rapprochés et espacés (*wide* et *slot receivers*; *tight ends*)	1 à 39 ; 70 et plus	1 à 39 ; 70 et plus	80 à 89

POSITIONS (suite)	Football amateur canadien (suite)	Football canadien professionnel (LCF) (suite)	Football professionnel américain (NFL) (suite)
demis de coin (*corner backs*) et de sûreté (*safeties*)	aucune restriction	aucune restriction	20 à 49
secondeurs (*linebackers*)	aucune restriction	aucune restriction	50 à 59
joueurs de ligne défensive intérieure (*inside defensive linemen*)	aucune restriction	aucune restriction	60 à 79
ailiers défensifs (*defensive ends*)	aucune restriction	aucune restriction	90 à 99

LES FAÇONS DE FAIRE AVANCER LE BALLON : LA PASSE, LA COURSE ET LE BOTTÉ

Au football, le principe du jeu consiste à faire progresser le ballon vers la zone de buts de l'équipe adverse pour marquer des points.

Chaque équipe dispose d'un certain nombre d'essais (*downs*) pour faire avancer le ballon de 10 verges (en général 3 essais au football canadien ; 4 au football de la NFL). Quand elle a franchi ces dix verges dans le nombre d'essais attribués ou moins, elle obtient une nouvelle série d'essais (*a new set of downs*), et ainsi de suite, jusqu'à ce qu'elle franchisse la ligne des buts de l'adversaire (elle obtient alors 6 points et la possibilité d'en ajouter un ou deux autres par la **transformation,** ou **converti**).

L'unité à l'attaque peut franchir ces dix verges par le jeu au sol (*run*) ou par la passe avant (*forward pass*), à son choix. Elle peut utiliser le dernier de ses essais pour effectuer un botté de dégagement

L'arbitre indique un premier essai
(first down).

(*punt*) ou tenter un placement (*field goal*), si elle ne croit pas pouvoir franchir les dix verges avec celui-ci. Une équipe qui utilise tous ses essais mais échoue à franchir les dix verges dans le nombre d'essais attribués perd possession du ballon et le remet à l'équipe adverse à l'endroit où elle s'est arrêtée (*turnover on downs*).

QU'EST-CE QU'UNE TRANSFORMATION OU CONVERTI (*POINT AFTER*)?

L'équipe qui a marqué un **touché** (*touchdown*) doit effectuer une **transformation**. Le ballon est alors placé à la ligne de deux verges de la zone des buts adverses dans la NFL et à celle de cinq verges au football canadien. L'équipe a deux options: 1) effectuer un **botté de transformation** (*point after* ou *PAT*), c'est-à-dire placer le ballon entre les poteaux des buts au moyen d'un coup de pied, ce qui lui vaudra un point; 2) faire pénétrer le ballon dans la zone des buts par la course ou par la passe, ce qui lui vaudra deux points.

La passe avant (*forward pass*)

Elle est généralement effectuée par le quart-arrière (*quarterback*), qui reçoit le ballon du centre (*center* ou *snapper*) et le lance à un des joueurs éligibles, soit les demis à l'attaque et les ailiers. Il y a 6 joueurs éligibles au football américain et 7 au football canadien, y compris le quart-arrière, qui peut lui aussi recevoir une passe.

Un joueur portant un dossard numéroté entre le 40 et le 69 au football canadien et entre le 50 et le 79 au football américain ne peut pas recevoir de passe sous peine de pénalité, à moins qu'il ne se soit déclaré éligible à l'arbitre avant le début de l'essai et qu'il n'occupe pas un des cinq postes centraux sur la ligne d'engagement (*line of scrimmage*). Par contre, si un défenseur touche le ballon au vol, tous les joueurs deviennent éligibles.

Le joueur qui reçoit une passe avant doit la capter avec n'importe quelle partie de son corps avant qu'elle ne touche le sol; il doit aussi être à l'intérieur de la surface de jeu (*in bounds*) au moment où il obtient la maîtrise du ballon (deux pieds, un genou ou le tronc à l'intérieur des limites du terrain au football de la NFL; un seul pied à l'intérieur au football canadien). Une fois le ballon en sa possession, il peut courir vers la zone de buts adverse.

Une équipe ne peut tenter qu'une seule passe avant par essai (*down*), et le joueur qui l'effectue ne peut pas avoir franchi la ligne d'engagement (*line of scrimmage*) avant de l'avoir lancée. Par contre, les joueurs peuvent s'échanger autant de passes arrière (ou latérales) qu'ils le désirent sur une même séquence de jeu.

L'arbitre indique qu'une passe est captée.

QUELLES SONT LES RÈGLES QUI DÉTERMINENT SI UN RECEVEUR A CAPTÉ UNE PASSE À L'INTÉRIEUR DES LIMITES (*IN BOUNDS*)?

Lorsqu'un ailier ou un demi reçoit une passe, il doit avoir possession (plein contrôle) du ballon à l'intérieur des limites du terrain pour que celle-ci soit déclarée captée. Le principe est le même dans toutes les ligues, mais les règles précises peuvent varier :

- au football canadien : un pied à l'intérieur et le contrôle du ballon ;

- au football américain (NFL) : le receveur doit avoir les deux pieds, un genou (*one knee equals two feet*) ou le corps en jeu au moment où il a le contrôle du ballon.

Il est à noter que lorsqu'un receveur de passe est poussé hors du terrain par un joueur de l'autre équipe quand il ne touche pas au sol au moment où il attrape le ballon, l'arbitre peut déclarer la passe captée s'il estime que le joueur aurait réussi l'attrapé sans cette poussée.

Une passe qui est attrapée à l'extérieur des limites du terrain (*out of bounds*) n'est pas considérée captée. Quand une passe avant n'est pas captée par le receveur, le jeu s'arrête et le ballon n'est plus en jeu (*dead ball*). L'équipe à l'attaque reprend alors le jeu à l'endroit où elle avait entrepris l'essai précédent (à moins qu'elle n'ait épuisé sa série

L'arbitre indique qu'une passe a été saisie hors limites.

L'arbitre indique qu'une passe n'a pas été captée.

d'essais, auquel cas l'équipe adverse prend le ballon à cet endroit).

S'il y a eu **infraction de la défensive** sur le jeu, l'équipe à l'attaque reprend l'essai ou obtient un premier essai (*first down*) en avançant d'un certain nombre de verges selon sa gravité; elle peut aussi refuser (*decline*) la pénalité et accepter le résultat du jeu (voir le chapitre 5). S'il y a eu **infraction de l'offensive**, règle générale, la défensive a le choix d'accepter ou de refuser (*decline*) la pénalité: si elle la refuse, l'essai compte et le jeu reprend où on en était rendu; si elle l'accepte, l'attaque est repoussée d'un certain nombre de verges et reprend l'essai, à moins qu'il y ait eu perte d'essai (*loss of down*).

QU'EST-CE QUE L'OBSTRUCTION CONTRE LA PASSE (*PASS INTERFERENCE*) ?

Il y a interférence lorsqu'un joueur de la défensive empêche physiquement un receveur de passe éligible de se positionner pour capter une passe.

Il y a toutefois quatre exceptions :

1) d'abord, les joueurs de la défensive ont le droit d'entrer en contact avec les receveurs à la ligne de mêlée (football canadien) ou dans les cinq premières verges (NFL) que ceux-ci parcourent après avoir franchi la ligne de mêlée (*line of scrimmage*) ; ils n'ont toutefois pas le droit de les retenir ou de les plaquer ;

2) ensuite, quand le ballon est lancé, les joueurs de la défensive y ont droit autant que les joueurs à l'attaque ;

3) de même, quand le ballon est effleuré (*tipped ball*) par un joueur de la défensive après avoir été lancé, tout joueur à l'attaque peut être frappé avant même d'avoir touché au ballon ;

4) enfin, l'arbitre n'imposera pas de pénalité contre le joueur défensif s'il juge que le ballon ne pouvait être attrapé.

Au football amateur canadien, si l'interférence survient à moins de 15 verges de la ligne d'engagement (*line of scrimmage*), le ballon est avancé au point d'infraction ; si elle survient à une distance supérieure à 15 verges, le ballon est avancé de 15 verges ; dans tous les cas, l'équipe à l'attaque obtient un premier essai.

Au football professionnel canadien, si l'interférence survient à moins de 10 verges de la ligne d'engagement (*line of scrimmage*), le ballon est avancé de 10 verges ; si elle survient à une distance supérieure à 10 verges, le ballon est déposé à l'endroit où a eu lieu l'infraction.

Dans la NFL, le ballon est déposé à l'endroit où a eu lieu l'infraction. Dans tous les cas, l'équipe à l'attaque obtient automatiquement un premier essai (*automatic first down*).

Dans toutes les ligues, si l'infraction survient dans la zone des buts de la défensive, le ballon est déposé à la ligne d'une verge de celle-ci.

L'équipe à l'attaque peut aussi causer de l'obstruction (*offensive pass interference*), quand c'est le joueur à l'attaque qui empêche un joueur de la défensive d'attraper un ballon pour lequel il est mieux positionné. Dans ce cas, l'équipe à l'attaque est pénalisée de 10 verges et reprend l'essai (*repeat the down*).

On doit noter que n'importe quel des joueurs de l'unité défensive de l'équipe adverse peut capter une passe lancée par le quart-arrière : on dit alors qu'il y a **interception** (*interception*) et la possession du ballon change d'équipe (le ballon est alors placé à l'endroit où le joueur qui a intercepté a été plaqué ; s'il intercepte le ballon dans sa zone des buts et qu'il y est plaqué ou qu'il y met le genou au sol, le jeu reprend à sa ligne de 20 verges dans la NFL et à sa

L'arbitre indique qu'une équipe a refusé (decline) la pénalité.

L'arbitre indique qu'il y a interférence.

ligne de 25 au football canadien; dans ces circonstances, aucun point n'est marqué).

Le jeu au sol (*run* ou *running game*)

C'est l'autre moyen privilégié pour faire avancer le ballon. Quand le quart-arrière (ou un autre joueur) reçoit le ballon des mains du centre, il peut le remettre à n'importe quel joueur de son unité offensive (sauf les joueurs de la ligne offensive). S'il se trouve encore derrière la ligne de mêlée (*line of scrimmage*), il peut le lui remettre de n'importe quelle façon (passe avant ou latérale); par contre, s'il a

QUAND LE BALLON EST-IL MORT (*DEAD BALL*)?

- quand un officiel siffle;

- quand des points sont marqués;

- quand une passe avant est déclarée incomplète;

- quand le joueur qui est en possession du ballon est plaqué;

- quand la progression (*forward progress*) du porteur de ballon vers l'avant est arrêtée;

- quand le quart-arrière glisse au sol les pieds devant suite à une course;

- quand le quart-arrière est sous le contrôle (*in the grasp*) d'un défenseur alors qu'il se trouve encore derrière la ligne de mêlée;

- quand le quart-arrière pose un genou au sol dans les trois (au football canadien) ou deux (dans la NFL) dernières minutes d'une demie;

- quand un joueur en possession du ballon pose le genou au sol dans sa zone des buts;

- quand le ballon se retrouve en touche (*out of bounds*);

- quand le ballon touche un des officiels;

- quand un botté frappe le poteau des buts adverses en vol (au football canadien seulement).

QUELS SONT LES DANGERS DE LA REMISE ARRIÈRE ET DE LA PASSE LATÉRALE?

Un ballon remis par un joueur en parallèle avec lui ou derrière lui, de quelque façon que ce soit, que ce soit par une remise de mains à mains ou une **passe latérale**, est un ballon en jeu (*live ball*), de sorte qu'il peut être recouvré par n'importe quel joueur d'une des deux équipes s'il est échappé (*fumbled*) lors de la remise. Si c'est l'unité offensive qui le recouvre, elle peut continuer sa série d'essais; si c'est l'unité défensive, elle peut aussi faire progresser le ballon et la possession du ballon change d'équipe. Le ballon est remis en jeu au point où la progression du joueur qui a recouvré le ballon a été arrêtée.

franchi celle-ci, il doit absolument le lui remettre en parallèle avec lui ou derrière lui.

Le joueur qui reçoit le ballon a alors trois options: 1) courir avec le ballon vers la zone de buts adverse, ce qui est le jeu le plus fréquent; 2) faire une **passe latérale** (en parallèle ou derrière lui) à un autre joueur de l'unité offensive, qui dispose alors des trois mêmes options; 3) faire une passe avant à un autre joueur de l'unité offensive (sauf les joueurs portant les numéros indiquant qu'ils ne sont pas éligibles), à condition que ce soit la première passe avant de ce jeu.

Les bottés

Lorsqu'une équipe constate qu'elle ne pourra vraisemblablement pas franchir les dix verges dans le nombre d'essais autorisés (3 ou 4), elle peut décider d'utiliser le dernier de ses essais (le 3ᵉ ou le 4ᵉ) pour effectuer un **botté** (*kick* ou *punt*).

Le **botté de dégagement** (*punt*), effectué par une unité spéciale, a pour effet de remettre le ballon entre les mains de l'équipe adverse, mais en la repoussant le plus loin possible vers son propre territoire (de 40 verges environ). Le **botteur** (*punter*), situé 15 à 17 verges derrière la ligne de mêlée, reçoit alors le ballon du centre et le botte aussi haut et aussi loin que possible ; aidé de ses bloqueurs, le joueur de l'équipe qui reçoit le botté (*punt receiver*) cherche alors à le ramener vers la zone des buts de l'équipe qui a botté. Dans le cas où n'importe quel des joueurs de l'équipe qui reçoit le botté le touche ou l'effleure de quelque façon que ce soit et que le ballon tombe au sol par la suite, celui-ci est en jeu (*live ball*) et peut être recouvré par les joueurs de l'équipe qui a botté, sauf s'il a été dévié à la ligne d'engagement.

Au **football canadien**, le joueur qui reçoit le botté doit le capter (*catch*), mais les joueurs de l'équipe qui a botté ne doivent pas s'approcher à moins de 5 verges de lui avant qu'il ait touché au ballon, sous peine de pénalité. De plus, le **botteur** (*punter*) et les joueurs qui se trouvaient derrière le ballon au moment où celui-ci a été botté ont le privilège de courir vers le ballon dès qu'il l'a botté et de le récupérer même si aucun joueur de l'autre équipe ne l'a touché.

L'ÉQUIPE QUI N'A PAS FRANCHI LES DIX VERGES ET QUI EN EST À SON DERNIER ESSAI A-T-ELLE D'AUTRES OPTIONS QUE DE BOTTER LE BALLON ?

Une équipe qui n'a pas franchi les 10 verges requises mais n'a pas épuisé tous ses essais peut : 1) utiliser son dernier essai pour faire avancer le ballon par la passe ou par la course ; 2) effectuer un botté de dégagement (*punt*) ou de placement (*field goal*) ; 3) **feindre** (*fake*) le botté.

Elle dispose alors de tous les choix de jeux (course ou passe) que permettent le type de joueurs qu'elle a envoyés sur le terrain et l'imagination des entraîneurs, compte tenu des règles générales du jeu, qui continuent à s'appliquer.

Si elle réussit à franchir les verges qui lui manquaient pour obtenir un premier essai (*first down*), elle obtient une nouvelle série d'essais. Si elle échoue, la possession du ballon passe à l'équipe adverse à l'endroit où sa progression a été stoppée (*turnover on downs*).

Dans la **NFL**, le joueur qui reçoit le botté de dégagement a trois choix :

1) **capter le ballon**, mais sans avoir droit à quelque protection que ce soit quant à la distance à laquelle se trouvent les joueurs de l'autre équipe au moment où il fait l'attrapé, et courir vers la zone de buts adverse après celui-ci ;

2) **laisser tomber le ballon** et le laisser bondir et rouler jusqu'à ce qu'il s'arrête ou qu'un des joueurs de

l'équipe qui l'a botté en ait pris possession (même en l'attrapant au vol) ; l'équipe qui recevait le botté en prend alors possession à l'endroit où il s'est arrêté ou a été touché par l'autre équipe ;

3) signaler l'**attrapé loyal** ou **attrapé sans contact** (*fair catch*), en levant un bras au-dessus de la tête avant de capter le ballon ; ce signal indique à l'équipe qui a botté que le joueur qui capte le ballon ne veut pas le faire avancer après l'avoir attrapé et qu'il est par conséquent interdit d'entrer en contact avec lui (avant ou après le catch) sous peine de pénalité ; le ballon est alors déclaré mort (*dead ball*) au point d'attrapé ; les joueurs de l'équipe qui a botté peuvent cependant recouvrer le ballon s'il est échappé (*fumbled*) par le joueur qui a signalé l'attrapé loyal. Au football canadien, cette règle n'existe pas.

QUE SE PASSE-T-IL SI UN BOTTÉ DE DÉGAGEMENT SE REND JUSQUE DANS LA ZONE DES BUTS (*END ZONE*) ?

Au football canadien, le joueur qui le reçoit a le choix de sortir le ballon de celle-ci et de le faire progresser jusqu'où il le peut, ou de concéder un **simple** (*single*) ; dans ce cas, un point est attribué à l'autre équipe et l'équipe qui reçoit le botté prend possession du ballon à sa ligne de 35 verges. Au football américain, le ballon est déclaré mort (*dead ball*) dès qu'il touche le sol dans la zone des buts ou qu'il est attrapé ou touché par un joueur de l'équipe qui botte et qui s'y trouve, même du bout d'un orteil ; l'équipe qui reçoit prend alors possession du ballon à sa ligne de 20 verges. Aucun point n'est marqué.

QUE SE PASSE-T-IL SI UN BOTTÉ DE DÉGAGEMENT (*PUNT*) EST BOTTÉ HORS LIMITES ?

Quand un botté de dégagement est botté hors limites, que ce soit volontaire ou non, l'arbitre et les juges de ligne déterminent de façon aussi précise que possible l'endroit où le ballon est sorti de la surface de jeu et on le remet en jeu à cet endroit (mais entre les **traits de remise en jeu**). La possession en est attribuée à l'équipe qui devait le recevoir.

L'équipe peut aussi décider d'effectuer un **botté de placement** (*field goal*), lorsqu'elle est assez près de la zone des buts adverse. Le botteur de précision (*place kicker*) cherche alors à placer le ballon entre les poteaux de buts de l'équipe adverse pour obtenir trois points. Le botteur de précision ne reçoit pas le ballon directement des mains du centre (*snapper*). Celui-ci doit le lancer à un joueur, le teneur (*holder*), qui est agenouillé 7 verges derrière la ligne de mêlée et qui a la responsabilité de l'attraper et de le placer sur le sol en bonne position (debout, légèrement incliné vers le botteur et les lacets vers les poteaux). Le botteur cherche alors à le diriger entre les poteaux en le frappant du pied. Toute l'opération, depuis la remise jusqu'au moment où le botteur frappe le ballon, doit prendre entre 1,8 et 2,4 secondes, au maximum.

Si le botteur de précision **réussit son placement**, son équipe obtient trois points et doit effectuer un botté d'envoi (*kick off*) pour remettre le ballon à l'autre équipe (voir plus bas).

L'arbitre indique que le botté de placement est raté.

L'arbitre indique que le botté de placement est réussi.

Si le botteur de précision **rate son placement** sans que le ballon soit bloqué, les règles diffèrent selon les ligues. Dans la NFL, l'équipe en défensive prend possession du ballon à l'endroit où le teneur s'était agenouillé (sept verges derrière la ligne de mêlée). Au football canadien, un placement raté peut donner un point à l'équipe qui botte si le ballon franchit la ligne de fond (*end line*) du terrain ou si le joueur de l'équipe qui reçoit le concède après avoir attrapé le ballon dans sa zone des buts ; ce joueur peut aussi effectuer un retour de botté et ramener le ballon jusque dans la zone des buts adverse pour un touché.

À QUELLE DISTANCE DE LA ZONE DES BUTS ADVERSE UNE ÉQUIPE POURRA-T-ELLE EFFECTUER UN PLACEMENT (*FIELD GOAL*)?

Un bon botteur professionnel réussira généralement et dans de bonnes conditions météorologiques la plupart de ses placements de moins de 40 verges; les meilleurs pourront effectuer des placements jusqu'à 55 verges. Pour connaître la distance d'où s'effectue un placement, il faut compter, en plus de la distance qui sépare le ballon de la zone des buts, les 7 verges qui séparent le centre (*long snapper*) du teneur (*holder*). Dans la NFL, il faut compter 10 verges de plus, puisque les poteaux sont situés au fond de la zone des buts.

QUELLES RÈGLES S'APPLIQUENT LORS D'UN BOTTÉ BLOQUÉ (*BLOCKED PUNT* OU *BLOCKED KICK*)?

Quand une équipe effectue un botté de dégagement ou de placement, elle envoie sur le terrain une unité spéciale (*special team*). Le rôle de l'équipe à l'attaque est de protéger le botteur pour que celui-ci réussisse son dégagement ou son placement. De leur côté, les joueurs de l'équipe défensive cherchent à nuire au botteur en le plaquant ou en bloquant le ballon avant ou après qu'il soit botté.

Si **la remise est manquée** ou que **le teneur ou le botteur est plaqué** avant que celui-ci ne frappe le ballon avec son pied, la possession du ballon est attribuée à l'autre équipe à l'endroit où le plaqué a eu lieu. Si **le ballon est bloqué** par un des joueurs de l'équipe adverse, il est en jeu (*live ball*) et peut être recouvré par n'importe quel joueur.

Si un **botté de dégagement** (*punt*) **est dévié** et traverse la ligne d'engagement (*line of scrimmage*), les joueurs de l'équipe qui botte peuvent recouvrer le ballon et le faire avancer. Celle-ci conserve la possession du ballon si elle franchit ainsi les verges nécessaires pour obtenir un premier essai (*first down*). Sinon, le ballon revient à l'équipe défensive au point où sa progression a été arrêtée (*dead ball*).

Si un **botté de placement** (*field goal*) **est bloqué**, l'équipe en défensive peut recouvrer le ballon et le faire avancer tout comme un dégagement bloqué.

Contact illégal : qu'il s'agisse d'une tentative de placement ou d'un dégagement, les joueurs de l'équipe en défensive ne peuvent pas frapper le teneur ni le botteur immédiatement après que celui-ci ait effectué son botté sous peine de pénalité, à moins d'avoir fait contact avec le ballon lors du botté. Dans le cas d'un botté de dégagement, une fois le ballon en possession du joueur qui a reçu le botté (*punt receiver*), le botteur peut être bloqué comme n'importe quel autre joueur.

DE QUELS ENDROITS S'EFFECTUENT LES BOTTÉS?

Le **botté de dégagement** (*punt*) et le **botté de précision** (*field goal*) s'effectuent à partir de l'endroit où la progression de l'équipe à l'attaque a été stoppée; le **botté d'envoi** (*kick off*) se fait depuis la ligne de 45 de l'équipe qui botte au football amateur canadien, de celle de 35 au football professionnel canadien et de celle de 30 au football américain (NFL).

L'échappé (*fumble*)

Lorsqu'un joueur qui est en possession du ballon l'échappe à l'intérieur de la surface de jeu avant d'avoir été plaqué (*tackled*), d'être sorti en touche (*out of bounds*) ou d'avoir franchi la ligne des buts (*goal line*) de l'adversaire, celui-ci est en jeu (*live ball*) et peut être recouvré par n'importe quel joueur des deux équipes. Si c'est un joueur de l'équipe à l'attaque qui le recouvre, le ballon est remis en jeu à l'endroit où le joueur qui a recouvré le ballon a été plaqué, et elle continue sa série d'essais. Si c'est un joueur de l'unité défensive, la possession du ballon est attribuée à son équipe et le ballon placé à l'endroit où il a été plaqué.

Attention: si un joueur échappe le ballon parce que celui-ci est entré en contact avec le sol, il n'y a pas d'échappé (*the ground cannot cause a fumble*). De plus, si le ballon sort des limites du terrain après avoir été échappé, on l'attribuera à l'équipe du joueur qui l'avait eu en sa possession en dernier, et les verges qu'il pourra avoir franchies en plus ou en moins seront prises en compte (sauf dans les dernières minutes d'une demie, où aucune progression ne sera accordée).

LES RÈGLES RÉGISSANT LES CONTACTS PHYSIQUES

Le football est un sport de contacts. Ceux-ci sont toutefois étroitement régis par un code et des règles que les arbitres font respecter. Les joueurs à l'attaque peuvent bloquer les joueurs de la défensive, qui cherchent à plaquer le porteur du ballon.

QUI EST RESPONSABLE DE DÉCIDER DE LA PROGRESSION DU BALLON ET DE L'ENDROIT QU'IL FAUT ATTEINDRE POUR OBTENIR UN PREMIER ESSAI ?

L'endroit où le ballon est déposé après un jeu est déterminé par l'arbitre en chef (*referee*), assisté par les juges de lignes (*line judges*) et par les juges de champ arrière (*backfield judges*) : ceux-ci ont la responsabilité de déterminer où le ballon se trouvait quand un joueur a été plaqué ou qu'il est sorti hors limites (*out of bounds*). Ils sont assistés des **chaîneurs**, qui indiquent, au moyen de poteaux et de chaînes : 1) l'endroit où commence chacun des essais ainsi que le numéro de celui-ci (1, 2, 3, 4) ; et 2) l'endroit qu'il faut atteindre pour obtenir un premier essai. Il est à noter que la détermination par les officiels de l'endroit où a cessé la progression n'est pas contestable à moins que la ligue n'ait mis en place un système de reprises vidéo, comme dans la NFL.

Le bloc (*block*)

Le **bloc** est une forme d'obstruction légale utilisée par les joueurs de l'équipe qui a possession du ballon. Ceux-ci doivent protéger le joueur qui a le ballon et empêcher les joueurs de l'autre équipe de le plaquer : c'est une technique qui est difficile et longue à maîtriser. Le bloc s'effectue de diverses façons, que ce soit avec les flancs, les épaules, les avant-bras ou les mains, mais toujours de face ou de côté : le **bloc par derrière** (*block in the back*) sera toujours pénalisé.

Il est toutefois interdit de porter ses mains au visage de l'adversaire ou de le retenir par le chandail ou par toute autre pièce d'équipement (*holding*), auxquels cas il y a pénalité (N.B. : les arbitres tolèrent qu'un joueur à l'attaque agrippe l'autre par le devant du chandail, mais pas qu'il le saisisse par les manches ou le dos). Il est aussi permis de faire tomber l'adversaire en le poussant ou même en se jetant au sol devant lui (*legal clip*), cette dernière technique étant proscrite lors des changements de possession dans une même phase de jeu (bottés et interceptions). De même, un joueur de la défensive peut être bloqué par un ou plusieurs joueurs de l'attaque (les joueurs défensifs particulièrement dangereux sont d'ailleurs souvent systématiquement «doublés»).

Par contre, il est interdit d'effectuer un bloc avec le casque (*spearing*), de faire trébucher avec ses jambes (*tripping*), de frapper par derrière ou de côté au niveau des jambes (*clipping*) et de bloquer sous le niveau de la ceinture (*block below the waist*), sous peine de pénalité. Ces règles ont évidemment pour objet de diminuer les risques de blessures dans un sport où les contacts sont omniprésents et peuvent provenir de n'importe où.

Le plaqué (*tackle*)

L'équipe qui n'a pas la possession du ballon cherche à stopper la progression de l'autre, qui avance par la passe ou par le jeu au sol. Ses joueurs doivent donc **plaquer** le joueur qui est en possession du ballon en le projetant au sol. Un joueur est plaqué, et la progression de son équipe par conséquent arrêtée, quand son genou, son coude, son tronc ou sa tête touche le sol après qu'il ait été touché par un joueur de l'autre équipe : un joueur qui tombe sans avoir été touché par un adversaire peut se relever et poursuivre le jeu s'il n'y a pas eu coup de sifflet (sauf au football amateur). Le ballon sera déposé à l'endroit où il se trouvait au moment où le joueur a été plaqué. Un joueur n'est pas plaqué s'il s'appuie sur une ou les deux mains pour éviter de tomber.

Le joueur en défensive qui plaque le porteur du ballon peut agripper celui-ci par n'importe laquelle des parties de son corps ou de son équipement à l'exception du **protecteur facial** (*face mask*), auquel cas il y a pénalité. La NFL a même déterminé en 2003 qu'il était légal de plaquer un joueur par les cheveux (en l'espèce les *dreadlocks* que portent certains joueurs noirs), ceux-ci faisant partie de l'équipement. Par contre, il n'est pas permis de faire **trébucher** (*tripping*) un joueur en utilisant sa ou ses jambes (auquel cas il y a pénalité), ni de le frapper avec un **coude** (*elbowing*). Il est aussi interdit **d'effectuer un** plaqué avec le casque (*spearing*) et de **frapper vio-lemment le porteur du ballon à la tête** (*blow to the head*). Comme le bloc, le plaquage peut être individuel ou collectif.

LA FAÇON DE FAIRE DES POINTS

Au football, les deux équipes qui se trouvent sur le terrain en même temps (l'unité offensive et l'unité défensive) peuvent faire des points lors d'un jeu, bien que ce soit évidemment l'unité à l'attaque qui le fasse le plus souvent. Les bottés, quant à eux, sont effectués par les unités spéciales, composées de joueurs qui peuvent être spécialistes aussi bien de l'attaque que de la défensive. Le tableau suivant illustre les façons de faire des points.

Nom de l'action	Nombre de points	Façon de faire	Signal employé par les arbitres
Le touché (*touchdown*)	6	Une équipe marque un touché lorsqu'un de ses joueurs a possession du ballon dans la zone des buts adverses (N.B. : la ligne fait partie des buts).	
Le botté de transfor- mation ou converti (*extra point* ou *conversion*)	1	L'équipe qui a marqué un touché effectue un botté entre les poteaux des buts depuis la ligne de deux (2) verges dans la NFL et de cinq (5) verges au football canadien (deux points au football amateur).	
La transfor- mation de deux points (*two points conversion*)	2	L'équipe qui a marqué un touché choisit de faire pénétrer le ballon dans la zone des buts par la course ou par la passe depuis la ligne de deux (2) verges dans la NFL et de cinq (5) verges au football canadien (un point au football amateur).	

Nom de l'action (suite)	Nombre de points (suite)	Façon de faire (suite)	Signal employé par les arbitres (suite)
Le placement (*field goal*)	3	L'équipe à l'attaque dont la progression est stoppée utilise un essai pour effectuer un botté entre les poteaux des buts depuis l'endroit où elle a été arrêtée.	
Le touché de sûreté (*safety*)	2	La défensive plaque un joueur de l'équipe à l'attaque dans sa zone des buts ou celui-ci y met un genou à terre.	
La concession d'un point (*single*) N.B. : au football canadien seulement.	1	Le joueur qui reçoit un botté (d'envoi, de dégagement ou de placement raté) dans sa zone des buts y dépose un genou en terre ou y est plaqué ; un botté de dégagement ou de placement franchit la ligne de fond (*end line*).	

QU'EST-CE QU'UN BOTTÉ LIBRE (*FREE KICK*)?

Quand une unité défensive plaque un joueur de l'équipe à l'attaque dans sa zone des buts ou que celui-ci y met un genou à terre, il y a **touché de sûreté** (*safety*). L'équipe qui a réussi le plaqué obtient alors deux points et l'autre équipe est obligée de lui remettre le ballon au moyen d'un botté.

Au football canadien, il s'agit d'un **botté d'envoi** (voir plus bas), effectué depuis sa ligne de 35 verges dans la LCF, et de 45 verges au football amateur. Au football de la NFL, une règle spéciale impose le **botté libre** (*free kick*): le botteur, qui a le ballon en mains au moment où l'arbitre indique la reprise du jeu, effectue alors un botté comme s'il s'agissait d'un botté de dégagement, depuis sa ligne de 30 verges.

Le touché de sûreté pénalise donc l'équipe qui en est victime à deux chefs: 1) l'autre équipe marque deux points; 2) elle doit remettre la possession du ballon à l'autre équipe au moyen d'un botté. De plus, dans la NFL, la technique du botté libre ne permet pas un botté aussi long que celle du botté d'envoi, de sorte que l'autre équipe prend possession du ballon en excellente position (souvent autour de sa propre ligne de 40 verges).

LA GESTION DU TEMPS

Un match de football dure 60 minutes, et il est divisé en deux **demies** (*halves*) de 30 minutes, chacune divisée en deux **quarts** (*quarters*) de 15 minutes.

Le temps d'arrêt entre le premier et le deuxième quart et celui entre le troisième et le quatrième quart ne

QUE SE PASSE-T-IL SI LE POINTAGE EST ÉGAL APRÈS 60 MINUTES DE TEMPS RÉGLEMENTAIRE ?

Dans la **NFL**, si le pointage est égal après les 60 minutes réglementaires, on joue une période de **surtemps** (*overtime*) de 15 minutes en saison régulière, et la première équipe qui marque gagne la partie (*sudden death*); en séries éliminatoires, la partie continue jusqu'à ce qu'il y ait un vainqueur, mais le temps continue à être divisé en quarts.

Au **football canadien**, chaque équipe a droit à un maximum de deux possessions du ballon en surtemps. Il y a un tirage au sort (*coin toss*), comme au début de la partie (voir ci-bas). L'équipe qui le remporte a le loisir de mettre le ballon en jeu à la ligne de 35 verges de son adversaire et tenter de compter selon les règles habituelles du jeu ou de défendre sa zone des buts. Après une série qui se termine par un touché, un placement ou la perte du ballon, l'adversaire a droit à sa série de jeu afin d'égaliser le compte ou de gagner la rencontre. En séries d'après saison (*playoffs*), on continue jusqu'à ce qu'il y ait un vainqueur selon le même principe.

changent pas la séquence de jeu : l'équipe qui a le ballon en sa possession le conserve comme s'il n'y avait pas eu interruption, sauf que les équipes changent de côté sur le terrain. Elles disposent de deux à trois minutes pour cela.

Par contre, la fin du deuxième quart (et donc de la première demie) marque une coupure dans le match : elle interrompt la séquence de jeu et le troisième quart commence, comme le premier, par un **botté d'envoi** (*kick off*). Entre la première et la deuxième demie, les équipes retournent au vestiaire pour vingt minutes dans la NFL, pour quinze au football canadien.

Règle générale, avec tous les arrêts, une partie dure environ trois heures.

Au début d'une demie, **l'écoulement du temps** commence dès que le ballon est attrapé par le joueur qui reçoit

---

LA FIN DU TEMPS RÉGLEMENTAIRE INTERROMPT-ELLE L'ACTION ?

Au football, lorsqu'un jeu a commencé tout juste avant la fin d'un quart ou d'une demie, il se poursuit jusqu'à ce que les arbitres aient déclaré le ballon mort (*dead ball*), même s'il ne reste plus de temps au cadran. Dans le cas où ce jeu a produit des points, ceux-ci sont valables, et l'équipe qui a marqué un touché effectuera une transformation, sauf dans la NFL si on est en prolongation (*overtime*). De plus, si l'équipe en défense est pénalisée lors du dernier jeu d'un quart ou d'une demie, l'équipe qui est à l'attaque pourra sauf exception bénéficier d'un autre jeu même s'il ne reste aucune seconde au cadran.

le botté d'envoi ou que le ballon tombe au sol (s'il est botté hors limites, aucun temps ne s'écoule). Quand cette première séquence de jeu s'arrête (généralement par le plaqué du joueur qui a reçu le ballon), l'écoulement du temps s'arrête aussi pour permettre aux deux équipes d'envoyer l'unité appropriée sur le terrain.

À partir du moment où le joueur de centre (*center*) de l'unité à l'attaque remet le ballon à son quart-arrière après le botté d'envoi, le temps s'écoule selon le **principe général** suivant: il continue à s'écouler suite à un jeu au sol ou si une passe avant est réussie, mais il s'arrête si le porteur du ballon sort en touches (*out of bounds*) ou que la passe est échappée; dans ce cas, il ne reprend que lorsque le centre fait la remise au quart. Cependant, dans les trois dernières minutes d'une demie **au football canadien**, le temps s'arrête après chaque jeu, réussi ou non, et recommence à s'écouler dès que l'arbitre dépose le ballon au sol entre les lignes de mise en jeu (*hash marks*) et en donne le signal ou quand le centre fait la remise au quart-arrière (dépendamment du jeu précédent); **dans la NFL**, le temps s'écoule dans les deux dernières minutes de la demie de la même façon que pendant le reste du match.

Tenant compte de ce principe général, **l'écoulement du temps peut être interrompu** pour les raisons suivantes:

- 🏈 le joueur qui a reçu le botté d'envoi est plaqué;

- 🏈 un touché, un placement, un simple ou un touché de sûreté est marqué (aucun temps ne s'écoule pendant une transformation);

- suite à un botté se produit un *touchback* (dans la NFL seulement) ;

- une pénalité est imposée ;

- une passe avant est déclarée incomplète ;

- le joueur qui est en possession du ballon sort des limites du terrain (*out of bounds*) ;

- le ballon est touché illégalement (frappé avec le pied par un joueur autre que le botteur, par exemple) ;

- un joueur est blessé et incapable de se relever ou de sortir du terrain* ;

- la possession du ballon change d'équipe (après un revirement, un botté de dégagement ou un botté de placement raté, ou une perte de ballon après avoir épuisé tous ses essais [*turnover on downs*]) ;

UN TRUC POUR COMPRENDRE L'ÉCOULEMENT DU TEMPS AU FOOTBALL

Les règles régissant l'écoulement du temps étant très complexes, le spectateur qui veut éviter d'avoir à les retenir toutes peut se contenter de regarder l'arbitre principal (*referee*) entre chaque jeu. Tant qu'il a le bras en l'air, le temps à l'horloge officielle ne s'écoule pas. Quand il abaisse le bras (souvent en faisant un moulinet), l'écoulement du temps reprend.

- les juges de ligne doivent mesurer pour savoir si une équipe a franchi les dix verges et obtenu un premier essai (*first down*)* ;

- les arbitres évaluent une pénalité ;

- il y a une discussion entre arbitres ou entre ceux-ci et un entraîneur sur un point litigieux* ;

- l'arbitre estime que le public fait trop de bruit pour permettre le déroulement normal du jeu* ;

- l'arbitre le demande à titre personnel* ;

- un joueur demande un temps mort (*time out*) ;

- le ballon est mort et il ne reste que deux minutes et moins à jouer à la demie, dans la NFL (*two minutes warning*) ; au football canadien, trois minutes et moins ;

- une équipe obtient un premier essai et les chaîneurs doivent se déplacer (au football canadien seulement) ;

- un quart ou une demie se termine.

Dans certaines circonstances (elles sont indiquées dans l'énumération ci-haut par le symbole *), et nonobstant les règles habituelles, le temps recommence à s'écouler dès que l'arbitre en décide et l'indique par un grand moulinet du bras droit.

Les temps morts (*time outs*). Dans la NFL, chaque équipe a à sa disposition trois temps morts par demie

À QUOI SERT LE TEMPS QUI S'ÉCOULE ENTRE CHAQUE ESSAI (*DOWN*) ?

Le football est un sport de vitesse et de force, mais aussi de stratégie et de ruse. Chaque jeu est pratiqué pendant les jours qui précèdent la partie et son utilisation est décidée par l'entraîneur à l'attaque (*offensive coordinator*) ou l'entraîneur en chef (*head coach*) pendant la partie, selon un plan établi à l'avance ou selon les circonstances. Les secondes qui s'écoulent entre deux essais (20 au football canadien et 40 dans la NFL) servent donc principalement à déterminer le choix de jeu de chacune des unités. Elles servent aussi à effectuer les substitutions de joueurs entre deux essais, tout joueur pouvant en théorie être remplacé par un autre.

(ils durent chacun 45 ou 90 secondes) ; au football professionnel canadien, une équipe ne dispose que d'un seul temps mort de 30 secondes par demie ; au football amateur canadien, de deux temps morts d'une minute par demie.

Un arbitre indique qu'il y a temps mort.

N'importe quel des joueurs présents sur le terrain peut demander un temps mort à l'arbitre.

Pendant les temps morts, l'écoulement du temps s'arrête et les joueurs des deux équipes présents sur le terrain peuvent se diriger vers les lignes de côté pour y recevoir des soins ou des instructions. Une équipe peut les utiliser n'importe quand pendant la demie, mais pas consécutivement. Si une équipe n'a pas utilisé tous ses temps morts et qu'un de ses joueurs est blessé pendant les deux dernières minutes d'une demie, l'arbitre lui en retirera un pour permettre l'évacuation du blessé et son remplacement par un autre joueur. Si elle a utilisé tous ses

---

DE COMBIEN DE TEMPS UNE ÉQUIPE DISPOSE-T-ELLE ENTRE DEUX JEUX POUR METTRE LE BALLON EN JEU ?

Au football canadien, une équipe dispose de 20 secondes entre le moment où l'arbitre dépose le ballon entre les hachures et relance l'écoulement du temps et celui où le centre (*center*) doit effectuer la remise du ballon ; dans la NFL, on accorde 40 secondes entre le moment où le ballon a été déclaré mort et celui où le centre (*center*) doit le remettre en jeu.

Par contre, quand un match est télévisé, il y a des pauses commerciales qui peuvent prolonger indûment le temps entre deux jeux ; une pause commerciale est indiquée par la présence sur le terrain d'une personne qui n'est ni un joueur ni un officiel et qui tient au bout de son bras levé un bâton rouge.

temps morts et qu'un de ses joueurs est blessé, elle sera pénalisée et l'arbitre en chef pourra même demander au chronométreur de soustraire des secondes au cadran.

Le sifflet. Quand un jeu prend fin (joueur plaqué ou hors limites; passe non captée; etc.), les arbitres **sifflent** (*whistle*). Mais l'usage du sifflet ne signifie pas que l'écoulement du temps s'arrête automatiquement, comme dans d'autres sports. Il sert plutôt à indiquer aux joueurs qu'ils doivent cesser toute action et que le ballon est mort (*dead ball*). Pour

Laisser le temps s'écouler; temps d'arrêt (arrêter le décompte du temps); redémarrer l'horloge.

indiquer si le temps continue ou si l'horloge doit s'arrêter, les arbitres utilisent des signaux. Celui qui est illustré ici donne au chronométreur des consignes sur le démarrage et l'arrêt de l'horloge.

LE DÉBUT D'UN MATCH DE FOOTBALL : TIRAGE AU SORT ET BOTTÉ D'ENVOI (*KICK OFF*)

Le tirage au sort (*coin flip*). Le tirage au sort est un élément important de chaque match de football, mais la plupart des spectateurs n'y assistent jamais : soit parce qu'il n'est pas retransmis lors des matchs télévisés (sauf lors des matchs de championnat) ou encore parce que les spectateurs sont encore au festin d'avant match (*tailgate party*) au moment où on y procède.

Avant que la partie commence, **l'arbitre en chef** (*referee*) invite les capitaines des deux équipes (trois ou quatre joueurs par équipe) au centre du terrain pour le tirage au sort. Il présente alors une pièce de monnaie aux joueurs puis la lance en l'air. Les capitaines de l'équipe qui joue à domicile doivent alors choisir, avant que la pièce ne retombe au sol, s'ils choisissent face ou pile (*heads or tails*).

L'équipe qui **gagne le tirage** au sort a le choix de recevoir le ballon ou de faire le botté d'envoi (*kick off*). Généralement, l'équipe à domicile préférera recevoir le ballon, pour des motifs de psychologie sportive (marquer des points dès la première possession et ainsi démoraliser l'adversaire). L'équipe qui fait le botté d'envoi au début de la première demie (*first half*) recevra le ballon au début de la seconde demie, et vice-versa.

L'équipe qui **perd le tirage** au sort obtient le choix de la moitié du terrain qu'elle défendra. L'équipe qui défend la moitié nord au premier quart, par exemple, défendra la moitié sud aux deuxième et troisième quarts, puis reviendra à la moitié nord au quatrième quart (séquence A-B-B-A). L'importance de cette décision dépend surtout des facteurs météorologiques : vents ; angle de l'ensoleillement ; etc. Les passes et les bottés peuvent particulièrement en être affectés. C'est donc une question de stratégie : aimera-t-on mieux avoir le vent dans le dos au premier quart pour marquer des points rapidement, ou se le réserver pour le deuxième quart et réussir un touché ou un placement à la fin du deuxième quart ?

Au football amateur, les règles du tirage au sort diffèrent légèrement.

Le botté d'envoi (*kick off*). Chaque demie commence toujours par un botté d'envoi. Le ballon est alors placé à la ligne de 30 verges de l'équipe qui botte dans la NFL, à la ligne de 35 au football professionnel canadien (LCF) et à la ligne de 45 au football amateur canadien. C'est un moment spécial dans le match, car les deux équipes envoient alors leurs meilleurs athlètes sur le terrain, dans le but de donner le ton au match. L'équipe qui reçoit espère réussir un touché, celle qui botte causer un **revirement** (*turnover*). Tous les joueurs veulent faire partie de cette unité spéciale (*special team*), car le botté d'envoi est un jeu spectaculaire où les contacts physiques sont nombreux et intenses.

Les **joueurs de l'équipe qui botte** se placent en ligne, de chaque côté du ballon, légèrement en retrait de celui-ci (quelques verges). Ils peuvent commencer à courir vers la zone adverse avant le botté, à condition de ne pas franchir la ligne de mêlée (*line of scrimmage*) avant que le botteur n'ait frappé le ballon.

Les **joueurs de l'équipe qui reçoit** s'installent en formation dispersée, mais à une distance minimale de 10 verges de la ligne de mêlée. L'entraîneur peut les placer où bon lui semble à condition de respecter cette règle, mais il laissera en général au moins trois ou quatre joueurs à 10 verges du ballon pour prévenir le **botté court** (*short kick*). Généralement, deux d'entre eux, les plus rapides, sont désignés comme les receveurs (*kick receivers*) : ils se placent près de leur ligne des buts, en parallèle l'un avec l'autre. Malgré cette division des tâches, tous les joueurs de l'équipe qui reçoit peuvent s'emparer du ballon une fois qu'il a été botté.

Le ballon est déposé sur un support (*tee*), à moins que les conditions météorologiques ne forcent l'emploi d'un joueur qui le tient (*holder*). Le botteur se place environ cinq verges derrière le ballon. Quand il est prêt, il lève le bras pour le signifier à l'arbitre. Celui-ci lui donne alors le signal qu'il peut procéder en abaissant le bras.

Quand **le botté est réglementaire**, les règles suivantes s'appliquent :

- n'importe quel des joueurs de l'équipe qui reçoit peut attraper le ballon, avant ou après qu'il ait touché le sol, et courir vers la zone des buts adverse ;

- l'équipe qui reçoit doit absolument s'emparer du ballon s'il est resté à l'intérieur des limites du terrain (*in bounds*), puisque tous les joueurs de l'équipe qui botte sont autorisés à s'en emparer aussi, à condition qu'il ait franchi 10 verges depuis la ligne de mêlée (c'est cette règle qui permet à l'équipe qui botte de tenter un botté court [*short kick*] ; voir plus bas) ;

- si le ballon est botté jusque dans la zone des buts, le joueur qui le reçoit peut choisir d'y poser un

genou au sol (*knee down*) : dans ce cas, le ballon est déposé à sa ligne de 20 (NFL) ou 35 verges (football canadien), où son équipe aura un premier essai (*first down*) ;

● la même règle s'applique dans le cas où le botté est si puissant que le ballon franchit la ligne arrière des buts ;

● si le joueur qui reçoit le ballon est plaqué dans sa zone des buts, il y a touché de sûreté (*safety*), et l'équipe qui botte marque deux points ; de plus, l'équipe contre laquelle est marqué un touché de sûreté doit redonner le ballon à l'adversaire au moyen d'un botté d'envoi au football canadien ou d'un botté libre (*free kick*; voir plus haut) au football américain (NFL) ; au football amateur canadien, l'équipe qui plaque le receveur du botté d'envoi dans sa zone des buts obtient un point.

Après que le joueur qui a reçu le ballon ait été plaqué ou que le ballon soit sorti en touche (*out of bounds*), le ballon est mort (*dead ball*) et le temps s'arrête. L'équipe qui a alors possession du ballon envoie son unité offensive sur le terrain et le premier essai (*first down*) commence à l'endroit du plaqué ou de la sortie du ballon.

L'équipe qui effectue un botté d'envoi peut aussi effectuer un **botté court** (*short kick*) dans le but de récupérer le ballon. Le botteur peut alors botter le ballon n'importe où à l'intérieur des limites selon un plan concocté par les cerveaux de l'équipe (la ruse est alors souvent de mise). Si le ballon franchit 10 verges ou plus, les joueurs de l'équipe qui botte peuvent essayer de le récupérer. S'il ne franchit pas les dix verges, l'équipe qui botte est pénalisée de cinq verges et doit reprendre son botté (cette pénalité peut être déclinée par l'équipe qui reçoit le ballon ; la remise en jeu s'effectue alors au point où le ballon est mort). L'équipe qui s'empare du ballon suite au botté en prend possession à l'endroit où le joueur qui l'avait en sa possession a été plaqué.

QU'EST-CE QU'UN BON BOTTÉ D'ENVOI (*KICK OFF*) ?

Un botté d'envoi doit obligatoirement franchir dix verges depuis la ligne de mêlée, faute de quoi l'équipe qui botte sera punie de 5 verges et devra le reprendre.

- Un botté d'envoi doit rester à l'intérieur de la surface de jeu (*in bounds*), même après avoir touché le sol. Sinon, le ballon sera placé à une distance de 30 verges de l'endroit où le botté a été effectué et l'équipe qui devait le recevoir en prendra possession à cet endroit.

- Le ballon doit être botté aussi loin que possible, de façon à refouler l'autre équipe au maximum.

- Il doit aussi être botté aussi haut que possible (sauf exception décidée pour des raisons tactiques), de façon à permettre aux coéquipiers du botteur d'être le plus près possible du receveur au moment où il s'en empare, et ainsi de le plaquer rapidement.

Les principales différences entre le football canadien et le football américain (NFL)

	Football canadien	Football de la NFL
Les dimensions du terrain	65 verges par 150 (9750 verges carrées)	53 ⅓ verges par 120 (6420 verges carrées)
La profondeur de la zone des buts	20 verges	10 verges
La localisation des poteaux des buts	Sur la ligne des buts	Au fond de la zone des buts, hors de la surface de jeu
Le nombre de joueurs sur le terrain	Douze	Onze
Le nombre d'essais	Trois	Quatre
Le ballon	Circonférence plus grande et un peu plus lourd (à cause des conditions climatiques)	
Le nombre de temps morts par demie	Professionnel : un par équipe Amateur : 2 par équipe	Trois par équipe
Le temps pour remettre le ballon en jeu	20 secondes à partir du moment où l'arbitre dépose le ballon entre les hachures ou après le coup de sifflet	40 secondes à partir du moment où le ballon est déclaré mort
Les façons de faire des points	Existence du simple (*single*)	
Mouvements dans le champ arrière avant la remise du ballon	Liberté de mouvement pour tous les joueurs avant la mise en jeu du ballon	Plusieurs déplacements (*shifts*) autorisés, mais un seul joueur en mouvement (*movement*) au moment de la mise en jeu
Le surtemps	Deux possessions au maximum par équipe	Un quart de 15 minutes jusqu'à ce qu'une équipe marque des points
Règles particulières	Immunité pour le receveur de botté de dégagement	Existence du *touchback* et de l'attrapé loyal ou sans contact (*fair catch*)

Légende des illustrations du chapitre 2

•••••••••◗	Passe et réception du ballon
⟹	Trajet du porteur de ballon
⟶	Déplacement des joueurs à l'attaque
⊢	Bloc
⊣⊢⟶	Feinte de bloc
∿∿∿∿⟶	Mouvement avant la remise du ballon
- - - - - - - -	Déplacement des joueurs de l'équipe adverse
●	Joueur de l'équipe adverse
X	Point de remise du ballon au porteur
Y	Feinte de remise du ballon
☐	Position arrêtée

CHAPITRE 2

L'attaque

....

L'attaque est l'unité qui anime le match de football. C'est pour elle que la majorité des spectateurs se déplacent : pour voir une passe de Brett Favre ou d'Anthony Calvillo, une course de Mike Pringle ou de Priest Holmes. C'est elle qui marque la plus grande partie des points et qui effectue les jeux les plus spectaculaires (sauf peut-être un retour de botté bon pour un touché). Il importe toutefois de comprendre que l'attaque est composée de 11 ou 12 joueurs et que la contribution de chacun d'entre eux est requise lors de la plupart des jeux. Ainsi, un demi à l'attaque devra non seulement savoir porter le ballon, mais aussi effectuer des blocs et se découvrir pour capter une passe ; un quart-arrière devra non seulement décocher des passes et remettre le ballon aux demis, mais encore effectuer des blocs et des feintes ; et ainsi de suite.

Pour apprécier pleinement le jeu de l'unité à l'attaque, il faut donc connaître plus que les règles de base du jeu et être en mesure de reconnaître le travail de chacune de ses composantes : la ligne offensive, les demis, les ailiers et le quart-arrière. La capacité d'identifier les principales formations à l'attaque permettra aussi de prévoir les jeux commandés par le coordonnateur à l'attaque (*offensive coordinator*) et de mieux savourer la stratégie et les tactiques des entraîneurs et des joueurs.

Car un match de football est une sorte de partie d'échecs entre les entraîneurs des deux équipes : chacun a un plan de match, un livre de jeux, une stratégie globale et des tactiques adaptées à chaque situation. Chacun cherchera à comprendre la stratégie de l'autre, à décrypter ses tendances (*patterns*), à deviner quelle tactique il utilisera en telle situation et à provoquer des déséquilibres (*mismatches*).

Règles générales régissant l'attaque. Le football est un sport très complexe. Le coordonnateur à l'attaque ne peut pas dépêcher sur le terrain n'importe quels joueurs et ceux-ci ne peuvent pas s'y installer n'importe comment.

- **Les catégories de joueurs.** Quand l'unité à l'attaque saute sur le terrain, elle doit obligatoirement compter au moins 5 joueurs de ligne (*linemen*); elle pourra en avoir jusqu'à 7 dans le cas d'une formation massive (*jumbo* ou *goal line*), à la porte des buts de l'adversaire par exemple. Quant aux autres joueurs (6 au football de la NFL et 7 aux footballs universitaire et professionnel canadiens), la liberté du coordonnateur à l'attaque est totale et les combinaisons variées (voir plus bas, les formations à l'attaque).

- **Le nombre de joueurs sur la ligne de mêlée.** Quand les joueurs de l'unité offensive s'installent en formation pour effectuer un essai (*down*),

QU'EST-CE QU'UN DÉSÉQUILIBRE (*MISMATCH*) ?

Une des choses que cherchent constamment les coordonnateurs à l'attaque, c'est provoquer un déséquilibre (*mismatch*) sur un jeu donné. Généralement, on provoque un déséquilibre en « isolant » un joueur à l'attaque (demi ou ailier) sur un joueur qui ne possède pas toutes les aptitudes pour le contrer. Ainsi, on pourra chercher à mettre en présence (*isolate*) un ailier espacé extrêmement rapide et un secondeur de ligne, fort mais moins rapide qu'un demi défensif : l'ailier pourra ainsi échapper à son couvreur ; ou un ailier rapproché, très costaud et de rapidité moyenne, avec un demi défensif plus rapide mais de plus petite taille : il pourra bousculer ce dernier après avoir reçu une passe ; ou un joueur expérimenté et une recrue. C'est en mélangeant ses formations à l'attaque et en utilisant des combinaisons de tracés (*routes*) sophistiquées que le coordonnateur à l'attaque cherchera à provoquer ces déséquilibres, qui produisent souvent de gros jeux. En étudiant à fond les tendances (*patterns*) de la défensive, le coordonnateur à l'attaque et le quart-arrière pourront reconnaître, par la lecture de celle-ci avant la remise (*pre snap read*) si la défensive *blitze* et si elle sera en couverture homme pour homme ou en couverture de zone (voir le chapitre 3). L'attaque peut parfois profiter d'un déséquilibre si elle est en mesure de prévoir la nature de la défensive.

7 d'entre eux doivent obligatoirement se trouver sur la ligne de mêlée (*line of scrimmage*) : les 5 joueurs de ligne plus deux autres joueurs, généralement des ailiers rapprochés (*tight ends*) ou espacés (*wide receivers*), au choix. Une fois installés (*set*), les 5 joueurs de la ligne à l'attaque ne peuvent plus bouger (sauf le centre, qui peut bouger son bras libre et la tête). Si un des 2 autres joueurs qui se trouvent sur la ligne de mêlée se retire de celle-ci, il devra obligatoirement être remplacé par un autre joueur avant la mise en jeu du ballon (*snap*), sous peine de pénalité.

🏈 **La position des joueurs.** Les 5 joueurs de ligne se placent sur la ligne de mêlée : le centre (*center* ou *snapper*) au-dessus du ballon (aucune des parties de son corps, y compris sa tête, ne peut toutefois dépasser le ballon vers la zone adverse) ; les 2 gardes (*guards*) à sa gauche et à sa droite ; et les 2 plaqueurs (*tackles*) à la gauche et à la droite de ceux-ci, tous derrière le ballon et en ligne avec le centre. Deux receveurs de passe éligibles (ailiers rapprochés, insérés ou espacés) doivent obligatoirement « fermer » la ligne de mêlée, de part et d'autre des cinq joueurs de ligne. Quant aux autres joueurs, ils peuvent se trouver à peu près n'importe où derrière la ligne de mêlée (*in the backfield*), c'est-à-dire au minimum une verge derrière celle-ci, à condition de respecter la règle des 7 joueurs sur la ligne.

● **Immobilité des joueurs de ligne.** Quand les joueurs sont en formation et que le centre est en position au-dessus du ballon, ils se stabilisent (*set*). À partir du moment où ils ont pris leur position (*set*), les 5 joueurs de ligne ne peuvent plus bouger de la position (*stance*) qu'ils ont adoptée, sous peine de pénalité. Le centre peut toutefois bouger la tête pour s'adresser au quart-arrière, faire des gestes au moyen de son bras libre et déplacer légèrement le ballon pour en avoir un meilleur contrôle, sans toutefois feindre le départ (*simulate the snap*).

● **Le déplacement des joueurs dans le champ arrière (*backfield*).** Au football canadien, tous les joueurs peuvent se déplacer librement dans le champ arrière, à condition de ne pas franchir la ligne de mêlée avant le début du jeu (*snap*) et qu'il y ait au moins 7 joueurs immobiles (*set*) sur la ligne de mêlée au moment de celui-ci. Au football professionnel américain (NFL), tous les joueurs, sauf les 5 joueurs de ligne, peuvent changer de position (*shift*) avant la mise en jeu, mais ils doivent être redevenus immobiles depuis au moins une seconde au moment où l'action démarre (*snap*). Un seul joueur peut y être en mouvement (*motion*) au moment de la mise en jeu, mais il ne peut se déplacer que latéralement ou vers sa propre zone des buts, jamais vers celle de l'équipe adverse. La règle des 7 joueurs sur la ligne de mêlée s'y applique aussi.

**Les différentes positions (*stances*) adoptées par les joueurs
(attaque et défensive) avant la mise en jeu (*snap*)**

Position	Caractéristiques	Joueurs qui l'utilisent	Objectifs
Position à trois points d'appui (*three points stance*)	Pieds parallèles et écartés à la largeur des épaules; position assise; jambes fléchies; une main posée sur le sol (la droite pour ceux qui sont à droite du centre, la gauche pour les autres); l'autre bras posé sur la cuisse; dos perpendiculaire au sol; tête levée; poids du corps vers l'avant	Joueurs de ligne (*linemen*) (attaque et défensive); secondeurs (*linebackers*); demis offensifs (*running backs*); ailiers rapprochés (*tight ends*)	Obtenir un démarrage rapide; possibilité de se déplacer dans toutes les directions (avant, de côté et même vers l'arrière); permet d'observer les joueurs adverses pendant le décompte (*snapcount*) du quart-arrière
Position à deux points d'appui (*two points stance*)	Debout; les pieds parallèles ou en position de départ; position légèrement penchée vers l'avant; poids du corps sur la pointe des pieds; les bras ballants	Ailiers insérés (*slot receivers*) et espacés (*wide receivers*); demis défensifs (*defensive backs*); demis à l'attaque (*running backs*)	Départ rapide dans toute direction; permet d'utiliser les mains pour effectuer un contact ou éviter celui-ci; bonne vision de l'ensemble du terrain

Les différentes positions (*stances*) adoptées par les joueurs (attaque et défensive) avant la mise en jeu (*snap*) (suite)			
Position	**Caractéristiques**	**Joueurs qui l'utilisent**	**Objectifs**
Position à quatre points d'appui (*four points stance*)	Position semblable à la position à trois points d'appui, sauf que les deux mains sont posées sur le sol; poids du corps fortement porté vers l'avant	Joueurs de ligne (*linemen*) (attaque et défensive)	Donner plus de force et abaisser le centre de gravité, dans les jeux où on recherche ou désire empêcher un court gain
Position à deux points d'appui, jambes écartées (*two points stance, standing*)	Debout; les pieds écartés à la largeur des épaules; légèrement penché vers l'avant; les deux mains posées sur le haut des cuisses; en angle vers l'extérieur par rapport à la ligne de mêlée	Plaqueurs offensifs (*tacklers*) ou gardes (*guards*), en situation de passe et plus particulièrement en formation éventail (*shotgun*)	Prépare le plaqueur à la protection du quart en situation de passe; permet de mieux empêcher le débordement de l'ailier défensif (*defensive end*) vers l'extérieur; à éviter pour le jeu au sol

Les différentes positions (*stances*) adoptées par les joueurs (attaque et défensive) avant la mise en jeu (*snap*) (suite)

Position	Caractéristiques	Joueurs qui l'utilisent	Objectifs
Position du quart-arrière	Position de base : debout ; pieds écartés à la largeur des épaules ou en position de départ ; position légèrement penchée vers l'avant ; tête levée ; mains à la hauteur du bassin pour recevoir le ballon OU Position éventail *(shotgun)* : à 5 verges derrière le centre (*snapper*), dans la même position que ci-haut, mais les mains à hauteur de la poitrine	Quart-arrière (*quarterback*)	Lire l'ensemble de la défensive adverse (*read the defense*) ; être prêt à recevoir le ballon du centre (*snapper*) en tout temps ; crier ses directives aux joueurs à l'attaque et faire le décompte (*snapcount*)

QUELLES SONT LES FONCTIONS DU CHANGEMENT DE POSITION (*shift*) D'UN JOUEUR ?

Essentiellement deux : 1) provoquer soit une surcharge (*overload*) d'un côté de la ligne ou même un déséquilibre (*mismatch*), en forçant les joueurs de défense à modifier leur couverture (*coverage*) ; 2) vérifier, en observant la réaction de la défensive à ce mouvement, si celle-ci est en couverture de zone (*zone*) ou en couverture homme pour homme (*man to man*). Dans ce dernier cas, un joueur de la défensive devrait suivre le déplacement du joueur ; en défensive de zone, non. Mais le mouvement d'un joueur de la défensive peut aussi indiquer un changement de type de couverture (voir le chapitre 3) en réaction au déplacement (*shift*).

LES JOUEURS À L'ATTAQUE PAR POSITION

La ligne à l'attaque (*offensive line*)

Bien que la plupart des amateurs ne l'apprécient pas à sa juste valeur, la ligne est le cœur de l'attaque d'une équipe. Les connaisseurs sont unanimes là-dessus : un match de football se gagne presque toujours à la ligne de mêlée, selon que c'est la ligne à l'attaque ou la ligne défensive qui a le dessus sur l'autre. Comme le dit John Madden, une unité offensive ne peut marquer de touché sans une bonne ligne. Un demi, aussi fort et rapide soit-il, ne gagnera pas beaucoup de verges si la ligne ne lui ouvre pas le chemin. Et un quart trouvera le temps long (ou court, plutôt), si ses joueurs de ligne ne freinent pas les défenseurs adverses.

Les principales **qualités requises d'un joueur de ligne** sont:

- le **poids**: ils sont les joueurs les plus lourds sur le terrain; pour ouvrir des brèches et ralentir les défenseurs qui foncent vers le porteur du ballon;

- la **force**: pour projeter un défenseur par terre ou l'empêcher de se rendre au porteur de ballon ou au point d'attaque;

Force   0   7   10

- un bon **jeu de pieds**: pour se déplacer dans toute direction selon ce qu'exige la situation; les joueurs de ligne offensive passent de nombreuses heures à pratiquer cet aspect de leur jeu qui n'est pas perçu par les spectateurs;

- une **bonne technique** d'utilisation du corps, des mains et des jambes: pour effectuer des blocs efficaces et légaux;

- une certaine **vitesse**: pour être en mesure de se déplacer à gauche comme à droite de la ligne et même dans le territoire défensif (*down field*);

Vitesse   0   2,5   6   10

- la **vigilance** (*awareness*): pour suivre le jeu et répliquer aux tactiques de la défensive avec rapidité.

Les joueurs et leur position. La ligne à l'attaque compte cinq joueurs : le **centre** (*center* ou *snapper*), qui remet le ballon derrière (au Québec, on l'appelle familièrement la «poule», parce qu'il pond littéralement le ballon entre les mains du quart), les **gardes** (*guards*), placés de chaque côté du centre, et les **plaqueurs** (*tacklers*), de chaque côté de ces derniers. De nombreuses personnes pensent que ces mastodontes (ce sont les joueurs les plus lourds, pouvant peser plus de 300 livres chacun) ne font que pousser pour jeter les défenseurs par terre et provoquer une empilade. En fait, chacun a des responsabilités précises et doit connaître le livre de jeux pour savoir quelles seront ses fonctions sur chacun des jeux que le quart annonce dans le caucus. De plus, ces cinq joueurs doivent travailler de manière synchronisée : avant la remise, se répartir les joueurs à bloquer, en tenant compte de la possibilité de *blitz*; au moment de la remise, bouger en même temps pour se préparer à effectuer le jeu commandé; après la remise, se déplacer et effectuer les blocs selon un schéma prévu.

Les règles particulières s'appliquant aux joueurs de la ligne à l'attaque.

🏈 **Inéligibilité.** Comme mentionné plus haut, les 5 joueurs qui forment la ligne à l'attaque proprement dite ne sont pas éligibles à recevoir une passe (*ineligible receivers*). Si un des joueurs de la ligne à l'attaque est le premier à toucher le ballon lors d'une passe avant, il y a pénalité automatique (voir le chapitre 5). Un joueur qui porte un dossard l'identifiant comme joueur de ligne pourra quand

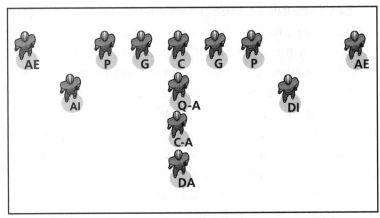

Une formation à l'attaque, avec la position de chaque joueur.

même recevoir une passe à condition de ne pas occuper un des 5 postes de base (centre, gardes et bloqueurs) et de s'être identifié comme éligible à l'arbitre avant le début du jeu. De plus, une passe qui a été effleurée ou déviée (*tipped*) par un joueur de la défensive peut dès lors être captée par n'importe quel joueur de l'unité offensive.

🏈 **Interdiction de franchir 5 verges dans le territoire défensif (*ineligible man down field*).** Un joueur de ligne à l'attaque ne peut pas se trouver à plus de 5 verges de la ligne de mêlée (*line of scrimmage*) en direction de la zone des buts adverse (*down field*) avant que la passe avant n'ait franchi la ligne de mêlée, sous peine de pénalité (voir le chapitre 5). Lors d'un jeu au sol, ou quand la passe avant a franchi la ligne de mêlée, il peut se retrouver n'importe où sur le terrain.

Les techniques de bloc (*blocking*). Selon le jeu utilisé (jeu au sol, passe, feinte de course ou de passe, etc.), les joueurs de la ligne à l'attaque (ainsi que les autres joueurs de l'unité offensive) utiliseront des techniques de bloc différentes. Chacun des types de bloc a une fonction précise et un joueur de ligne à l'attaque ne pourra pas être efficace s'il ne les maîtrise pas dans chacun de leurs aspects.

QU'EST-CE QUE LE CÔTÉ AVEUGLE (*blind side*)?

Quand le quart-arrière recule dans la pochette protectrice (*drops in the pocket*) pour faire une passe, il a tendance à se tourner vers la droite s'il est droitier (et vers la gauche s'il est gaucher) pour profiter au maximum de l'effet du transfert de poids, ce qui donne à son bras plus de puissance. Ce faisant, cependant, il perd de vue une partie du terrain, celle qui se trouve dans son dos : c'est le côté aveugle (*blind side*). Un défenseur qui déjoue les bloqueurs de ce côté du terrain peut frapper le quart alors que celui-ci ne l'a pas vu venir, avec toutes les conséquences qu'on peut imaginer : échappé (*fumble*), blessure (*injury*), etc. C'est pourquoi une équipe verra à dénicher un garde (*guard*) et un bloqueur (*tackle*) de première qualité pour protéger ce côté de la ligne. On pourra aussi préparer des jeux avec un bloqueur supplémentaire (ailier rapproché ou demi) de ce côté contre une équipe qui compte un ailier défensif (*defensive end*) particulièrement dangereux de ce côté ou qui a tendance à *blitzer*.

Voici les principaux types de bloc:

Type de bloc:	Utilisé en situation de…:	Technique:	Objectifs:
bloc direct (*drive block*)	jeu au sol SI PD PD G C G Q-A DA	le joueur place ses mains sur la poitrine du défenseur avec puissance, en restant plus bas que son adversaire; au contact, il active le mouvement des pieds afin de repousser son adversaire	neutraliser un joueur, le pousser vers un point x et maintenir le contact afin de permettre au demi de trouver une brèche (*hole* ou *gap*) pour faire avancer le ballon
bloc à angle (*down block*)	jeu de course à contre courant en combinaison avec une trappe SI PD PD G C G Q-A DA	par déplacement latéral, le joueur place le bras extérieur et sa tête sur l'épaule intérieure d'un défenseur qui attaque le ballon	empêcher le défenseur de pénétrer le champ arrière (*backfield*) ou de se déplacer latéralement

Type de bloc :	Utilisé en situation de… :	Technique :	Objectifs :
bloc croisé (*cross block*)	course	deux joueurs offensifs utilisent la technique du bloc à angle (*down block*) sur deux défenseurs (ex. : un joueur de ligne défensive et un secondeur) et pratiquent ainsi une ouverture	ouvrir une brèche dans la défensive pour permettre au porteur de ballon d'y passer
bloc de passe (*pass pro*)	passe	le joueur prend un pas de recul vers l'arrière et place ses mains sur la base des numéros de l'adversaire ; il dirige son défenseur vers sa droite ou sa gauche avec ses mains et un mouvement dynamique des pieds	empêcher le défenseur de se rendre au quart et créer un corridor de passe (*passing lane*) afin de permettre au quart-arrière de compléter sa passe

Type de bloc :	Utilisé en situation de… :	Technique :	Objectifs :
bloc aux jambes (*cut block fire protection*)	surtout passe rapide	le bloqueur se jette dans les jambes d'un joueur qui lui fait face ou se dirige vers lui, et lui fait ainsi perdre l'équilibre ou baisser les mains	empêcher un défenseur de pénétrer dans le champ arrière et de plaquer le porteur de ballon ou le quart - arrière ; donner un corridor de passe au quart-arrière lors d'une passe rapide ; souvent effectué par un joueur plus léger que son vis-à-vis
bloc à deux joueurs (*double team block*)	passe ou course SI PD PD G C G Q-A DA	deux joueurs utilisent le bloc direct (*drive block*) ou le bloc à angle (*down block*) simultanément sur un même défenseur	neutraliser un défenseur puissant et agressif qui risque de perturber le jeu ; ou préparer un second bloc pour un des joueurs qui va ensuite bloquer un secondeur ; faciliter la lecture du jeu par le demi à l'attaque

Type de bloc :	Utilisé en situation de… :	Technique :	Objectifs :
bloc d'influence (*influence block*)	passe ou course	un joueur feint ou effectue un bloc sur un joueur défensif pour simuler un type de jeu	amener un défenseur à se compromettre

Quelques jeux au sol. Lors d'un jeu au sol, les joueurs de la ligne à l'attaque doivent ouvrir une brèche dans la défensive adverse, à un endroit précis qui leur a été révélé par le quart-arrière dans le caucus (*huddle*), selon le jeu choisi par le coordonnateur à l'attaque (*offensive coordinator*).

Lors d'un jeu au sol, le quart-arrière, après avoir reçu le ballon du centre, peut courir lui-même avec le ballon, ce qui est relativement rare, parce qu'un tel jeu demande qu'il possède de grandes qualités athlétiques, sans compter les risques de blessures. En général, il remettra le ballon à un demi offensif (*back*), spécialisé dans ce genre de jeu. Si le ballon est remis en parallèle avec le joueur qui fait la remise ou derrière celui-ci, le ballon est en jeu (*live ball*), quoiqu'il se passe par la suite : s'il y a échappé (*fumble*), il peut être recouvré par n'importe qui.

Voici les principaux jeux de course utilisés lors d'une partie et les responsabilités des joueurs de la ligne à l'attaque sur chacun :

● **La course au centre (entre le centre et le garde ou entre le garde et le plaqueur).** Ce jeu requiert que les joueurs de la ligne à l'attaque réussissent, par

QUELS CODES LES JOUEURS DE L'ATTAQUE UTILISENT-ILS POUR CONNAÎTRE L'ENDROIT OÙ IL FAUT OUVRIR UNE BRÈCHE POUR LE PORTEUR DE BALLON (*back*)?

Pour éviter toute confusion et simplifier les instructions du quart-arrière dans le caucus (*huddle*), les équipes de football utilisent un code numérique très simple pour identifier chacun des espaces entre les joueurs de l'unité offensive qui se trouvent sur la ligne de mêlée (*line of scrimmage*): des chiffres pairs (0, 2, 4, 6, 8) pour chacun des espaces à droite à partir du centre (*center*); des

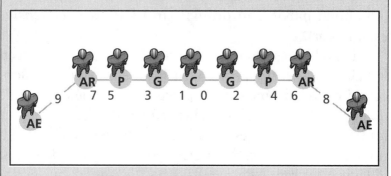

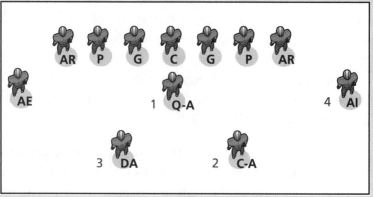

chiffres impairs (1, 3, 5, 7, 9) pour chacun des espaces à gauche à partir du centre.

Comme les joueurs sont eux-mêmes numérotés, les instructions du quart peuvent être télégraphiques. Exemple : le coordonnateur à l'attaque (*offensive coordinator*), qui a choisi d'envoyer sur le terrain une formation pro (*pro formation*; voir plus bas) commande une course du demi offensif (*running back*), qui porte le numéro 3, entre le garde (*guard*) et le plaqueur (*tackler*) à droite, avec un bloc du centre-arrière ; dans le caucus, le quart-arrière dira : pro 32 lead (pro pour la formation ; 3 pour le porteur du ballon, soit le demi à l'attaque ; 2 pour la brèche choisie et *lead* pour indiquer que le centre-arrière doit précéder le demi dans l'ouverture pour effectuer un bloc).

un jeu de blocs (directs, croisés, à angle ou même à deux joueurs), à ouvrir une brèche (*gap*) à un endroit désigné à l'avance dans la ligne défensive adverse pour que le porteur de ballon s'y engouffre. Quand il y a deux demis (*backs*) ou plus dans le champ arrière (*backfield*), un de ceux-ci pourra précéder le porteur de ballon dans la brèche : son rôle sera alors le plus souvent d'aller bloquer un secondeur (*linebacker*) ou un demi défensif (*defensive back*), ouvrant ainsi la voie à son coéquipier. Pour ouvrir cette brèche, les joueurs de la ligne à l'attaque peuvent se déplacer droit devant eux, ou encore vers leur droite ou leur gauche, mais à l'unisson (*in sync*). C'est le jeu de course de base, dont le point d'attaque (*point of attack*) sera souvent déterminé parce qu'on a détecté un maillon faible dans la ligne défensive adverse ou encore parce qu'on possède un ou deux joueurs de ligne à l'attaque particulièrement dominants. Il existe plusieurs variantes de la course au centre : le plongeon (*dive*) ; l'entaille (*slash*) ; le sprint (*sprint*) ; l'explosion (*blast*) ; etc.

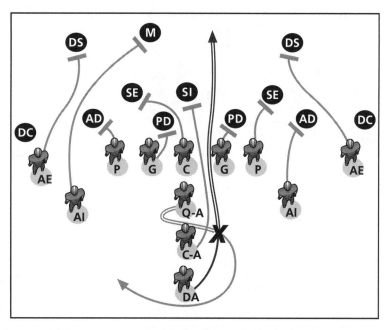

- **La course hors plaqueurs (*off tacklers*).** Dans ce jeu, l'objectif est de permettre au porteur de ballon de contourner la ligne défensive adverse par un côté ou l'autre : il doit donc passer à la gauche ou à la droite du dernier joueur de sa ligne offensive, le plaqueur ou même l'ailier rapproché (*tight end*), selon le jeu choisi (il peut aussi se glisser entre le plaqueur et l'ailier rapproché). Le rôle des joueurs de la ligne à l'attaque y est double : empêcher, par des blocs (généralement à angles), les joueurs de la défensive de se déplacer vers cet endroit et sceller (*seal*), parfois avec l'aide de l'ailier rapproché (*tight end*) ou du centre-arrière (*full back*), le coin de la ligne défensive jusqu'à ce que le demi soit passé.

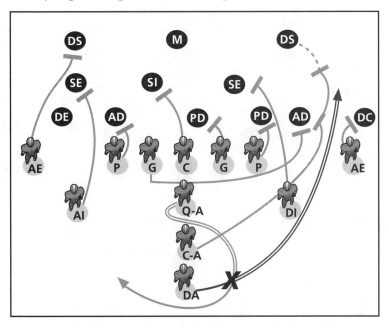

🏈 **Le balayage (*sweep*).** Le balayage ressemble un peu à la course hors plaqueurs, en ce sens que le porteur de ballon se dirige à l'extérieur de la ligne offensive. Mais le rôle des joueurs de ligne y est différent : dans ce jeu, un ou deux de ceux-ci se retireront (*withdraw*) de la ligne de mêlée (vers l'arrière) au moment de la remise (*snap*) du ballon, et ils se dirigeront hors plaqueur du côté où le jeu se déplace pour servir de bloqueurs mobiles au porteur de ballon. Il requiert des joueurs de ligne agiles et un porteur de ballon rapide à cause de la longue distance latérale que celui-ci doit parcourir avant de franchir la ligne de mêlée. Un synchronisme parfait est essentiel pour procurer un gain appréciable.

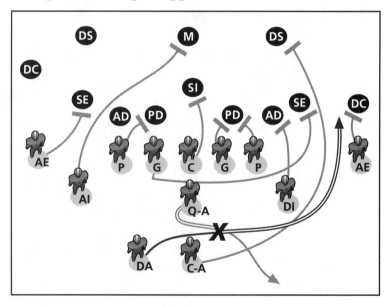

● **Le contre, ou jeu à contre-pied (*counter*).** L'objectif du contre est d'amener la défensive adverse à croire que la course se fera d'un côté alors que le porteur de ballon, après une feinte, se dirigera vers l'autre côté. Le rôle des joueurs de ligne à l'attaque y est donc de feindre, par les blocs appropriés, une course entre le centre et le garde, entre le garde et le plaqueur ou même hors plaqueur d'un côté de la ligne, puis de laisser le porteur de ballon et un éventuel bloqueur sorti du champ arrière (*back field*) avec lui se diriger de l'autre côté après avoir effectué un changement brusque de direction (*cutback*). On l'utilise contre des défensives particulièrement agressives contre la course, qui auront parfois tendance à poursuivre de manière excessive (*overpursue*) le porteur de ballon. Une variante du contre peut requérir le décrochage d'un des joueurs de ligne, qui servira alors de bloqueur.

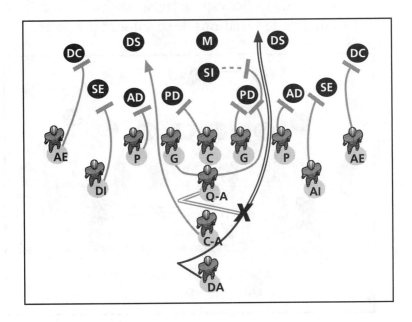

◗ **Le jeu renversé (*reverse*).** Le jeu renversé est un jeu truqué (*tricky play*). À la base, c'est une simulation de course hors plaqueur ou de balayage. Le rôle des joueurs de ligne à l'attaque y est donc de feindre par leurs déplacements et par les blocs appropriés, une course vers un côté du terrain. Le demi offensif, qui a reçu le ballon des mains du quart-arrière, y feint une course vers l'extérieur, puis remet le ballon (toujours vers l'arrière ou en latérale) à un autre joueur (généralement un ailier espacé) qui court dans le sens contraire à celui où le jeu semble se déplacer. C'est un jeu qui peut amener une perte de terrain s'il est deviné par un ou des joueurs de la défensive, mais qui peut aussi provoquer un long gain par l'effet de surprise et la vitesse de l'ailier espacé (*wide receiver*). Un certain nombre de variations de ce jeu sont possibles.

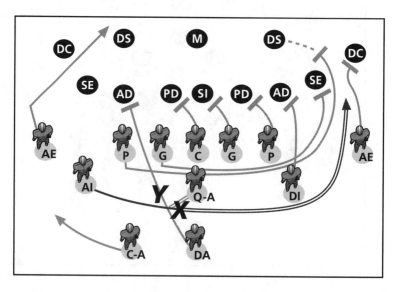

● **Le jeu d'attiré (*draw*).** Le jeu d'attiré est un jeu au sol qui commence comme une passe. Les joueurs de ligne et le quart-arrière s'y comportent donc comme en situation de passe (voir plus bas) : les joueurs de la ligne offensive protègent le quart et maintiennent leurs blocs (*hold their blocks*) contre ceux de la défense tandis que les receveurs de passe courent leurs tracés dans le territoire défensif (*down field*), généralement assez profondément pour libérer un espace entre la ligne de mêlée et les demis défensifs. Quand le jeu est bien dessiné, le quart remet le ballon au demi à l'attaque (*back*) qui était resté près de lui pour feindre un bloc. Le jeu d'attiré peut aussi être réalisé par le quart-arrière (*quarterback draw*). C'est un jeu qu'on utilise en situation où il faut gagner un nombre de verges assez important et où, par conséquent, la

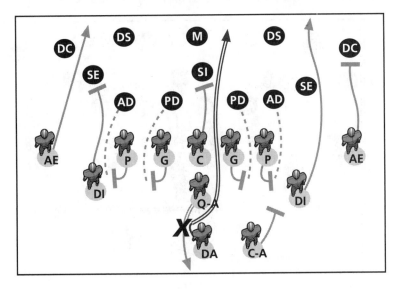

défensive s'attend à une passe. L'effet de surprise et le déploiement de la défensive pour contrer la passe (*pass coverage*) peuvent aboutir à un long gain.

● **La dérobade du quart (*bootleg*).** Cet autre jeu truqué (*tricky play*) commence par une feinte de course vers la gauche ou la droite. Sauf que le quart-arrière ne remet pas le ballon au demi et le conserve, en le cachant derrière sa cuisse, puis se met à courir vers la zone adverse, mais à contre-courant (*against the grain*). On peut y utiliser les joueurs de la ligne à l'attaque de deux façons : soit que certains d'entre eux se détachent de la ligne de mêlée et se déplacent eux aussi à contre-courant pour servir de bloqueurs au quart, comme dans le balayage (*sweep*), avec l'aide des demis ; soit qu'ils restent tous à la ligne de mêlée et que le

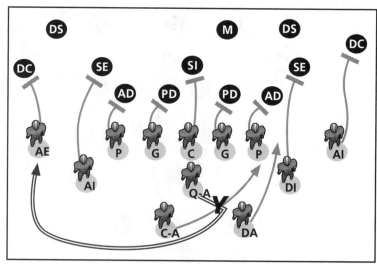

quart se déplace sans bloqueur vers l'autre côté du terrain. Ce dernier jeu, qui s'appelle la **dérobade nue** (*naked bootleg*), est évidemment à haut risque pour le quart, qui ne jouit d'aucune protection. La dérobade demande évidemment un quart-arrière pourvu de grandes qualités athlétiques et d'une constitution robuste.

- **La faufilade du quart** (*quarterback sneak*). Dans les cas où l'offensive n'a besoin que de franchir une très courte distance (généralement moins d'une verge) pour pénétrer dans la zone des buts adverse ou obtenir un premier essai (*first down*), on peut opter pour la faufilade du quart. Installé immédiatement derrière le centre (*center*), le quart repère un endroit moins bien protégé par la défensive adverse à sa proximité et s'y faufile après avoir reçu la remise (*snap*), et avoir feint ou non

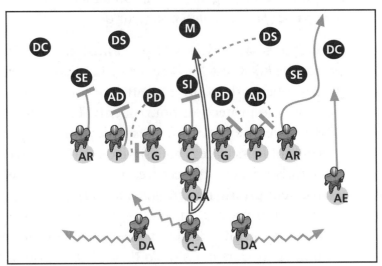

de reculer, selon les circonstances. Le rôle des joueurs de la ligne à l'attaque est d'y effectuer une forte poussée (*push*) vers l'avant en maintenant leur centre de gravité le plus bas possible.

Quelques jeux de passe. Les jeux de passe, sauf s'ils procèdent de feintes, ne requièrent pas le même genre de technique ni de travail de la part des joueurs de la ligne à l'attaque (*offensive linemen*) que les jeux de course. D'abord, la technique de bloc n'y est généralement pas la même : le bloc direct de protection (*pass pro*) y est privilégié. Ensuite, leur rôle y est différent : ils ne doivent plus ouvrir de brèche ou effectuer de bloc pour permettre au porteur de ballon de passer, mais protéger le quart-arrière pendant que celui-ci recule dans la pochette protectrice (*drops in the pocket*) pour repérer ses receveurs. Ils doivent aussi chercher à déplacer les joueurs de ligne qu'ils bloquent vers leur droite ou leur gauche de façon à ménager des corridors de passe (*passing lanes*) pour leur quart.

● **La passe aux ailiers (*tight ends, slot* ou *wide receivers*).** C'est la passe avant la plus fréquente. Les joueurs de la ligne à l'attaque utilisent le bloc direct de protection pour ralentir les défenseurs adverses pendant que les receveurs de passe courent leurs tracés (*routes*) ; le quart-arrière recule dans la pochette protectrice, puis lance la passe au receveur prioritaire (*primary receiver*) ou à un autre si celui-ci n'a pas pu se découvrir. La période de temps pendant laquelle les joueurs de ligne doivent maintenir leurs blocs (*hold their blocks*) varie selon le jeu choisi et le tracé du receveur : en général, de une à cinq secondes. Quand la passe est déclenchée rapidement, après un seul ou trois pas de recul (*one or three steps drop*), pour un tracé oblique (*slant*) ou à contretemps (*hitch*), par exemple, les joueurs de ligne utilisent une technique appelée « *cut fire protection* » : ils maintiennent leur centre de gravité très bas pour forcer les joueurs de ligne à baisser les mains, ce qui permet au ballon de passer au-dessus d'eux. Cette technique de bloc a aussi l'avantage de faire croire aux secondeurs que c'est un jeu au sol, ce qui amène chez eux un instant d'hésitation qui permet souvent au receveur de passe de se découvrir.

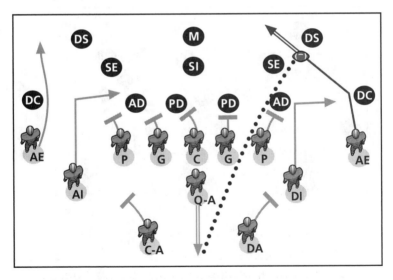

● **La passe aux demis** (*halfback* ou *fullback*). En situation de passe avant, les demis offensifs (*backs*) sont des receveurs éligibles comme les ailiers. Ils peuvent recevoir toutes sortes de passes, aussi bien décidées à l'avance dans le caucus que comme dépanneurs (*safety valves*). Voici quelques-unes des principales passes aux demis et le rôle de la ligne à l'attaque dans chacune :

● **La passe dans la secondaire (*in the secondary*).** Dans ce type de jeu, le demi à l'attaque court un tracé (*route*) de l'autre côté de la ligne de mêlée (*line of scrimmage*) comme n'importe quel receveur de passe, parfois après avoir feint un bloc (*simulate a block*). Dans ce cas, les joueurs de la ligne à l'attaque bloquent comme si c'était une passe aux ailiers (*pass pro*).

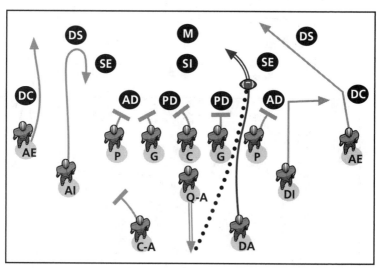

● **La passe voilée (*screen pass*).** C'est un jeu d'influence (*influence play*), qui cherche à utiliser l'agressivité de la défensive contre elle-même. Le

rôle des joueurs de ligne y est subtil : ils doivent
amorcer leur bloc de protection de passe, puis
laisser les joueurs de la ligne défensive (*defensive
linemen*) pénétrer (*get penetration*) dans le champ
arrière ; quelques-uns des bloqueurs (deux ou
trois) se déplacent alors vers un des côtés du terrain où se trouve également un des demis (*backs*).
Pendant ce temps, les receveurs de passe courent
des tracés profonds (*deep routes*) dont l'objectif est
d'étirer (*stretch*) la défensive. Le quart lobe alors
une passe destinée au demi par-dessus la tête des
défenseurs qui se précipitent vers lui. Les joueurs
de ligne offensive qui se sont déplacés ouvrent
alors la voie au demi. Bien exécuté, c'est un jeu qui
peut procurer un long gain. Par contre, depuis
quelques années, avec la multiplication des séances
de vidéo sur les jeux préférés des autres équipes,

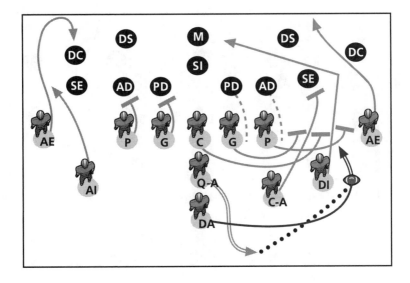

l'utilisation de l'ordinateur pour décrypter leurs tendances (*patterns*) et le fait que les joueurs de ligne défensive sont de plus en plus athlétiques et mobiles, son pourcentage de réussite a diminué.

- **La passe balancée (*swing pass*).** Le demi à l'attaque peut aussi recevoir une passe avant alors qu'il se trouve encore dans le champ arrière (*in the backfield*). Dans le cas d'une passe balancée (*swing pass*), le quart lobe une passe au demi qui a quitté son poste et court un tracé en demi-lune vers un des côtés du terrain. Les joueurs de ligne bloquent comme dans le cas d'une passe ordinaire, mais ceux qui sont du côté où se déroule l'action peuvent effectuer des blocs à angle (*down blocks*), pour empêcher les défenseurs de se rendre au demi. C'est un jeu qui sert à utiliser la vitesse du demi,

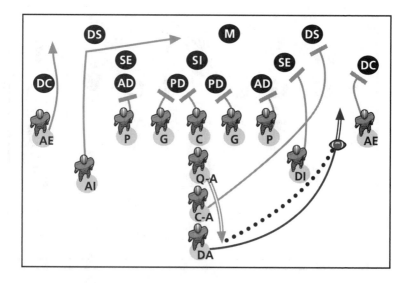

qui reçoit la passe alors qu'il a atteint sa vitesse de croisière. Ici encore, les tracés des receveurs doivent autant que possible étirer (*stretch*) la défensive.

🏈 **La passe dans le flanc (*in the flat*).** C'est généralement une passe de dépannage (*safety valve*). Le quart l'utilise quand aucun des receveurs qui courent des tracés n'a réussi à se découvrir ou qu'un défenseur a pénétré dans le champ arrière. Le demi qui est resté dans le champ arrière pour effectuer un bloc se déplace alors de côté et s'installe à découvert dans le flanc pour y recevoir une passe. Le rôle des joueurs de ligne y est le même que dans le cas d'une passe normale. Cette passe procure rarement un gain intéressant, mais elle sert à minimiser la perte que causerait le rabattement (*sack*) du quart dans le champ arrière. On l'utilise

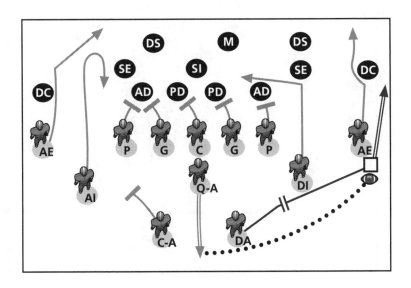

aussi quand il n'y a plus beaucoup de temps au cadran (*hurry up offense*) de façon à permettre au demi qui a reçu la passe de sortir en touche et d'arrêter le décompte du temps.

● **La feinte de course et passe (*play action pass*).** C'est un des jeux les plus utilisés. Il commence par une feinte de jeu au sol (généralement au centre). Le quart feint la remise au demi, qui feint la course. Le rôle des joueurs de la ligne à l'attaque est de bloquer comme en situation de course (blocs à angle, croisés, etc.). Le quart conserve alors le ballon et effectue une passe avant (*forward pass*) à un joueur qui s'est libéré. Elle vise à attirer vers la ligne de mêlée un ou des joueurs de la défensive, soit un des demis de sûreté (*safeties*) ou un des secondeurs (*linebackers*), dont la tâche première est de stopper

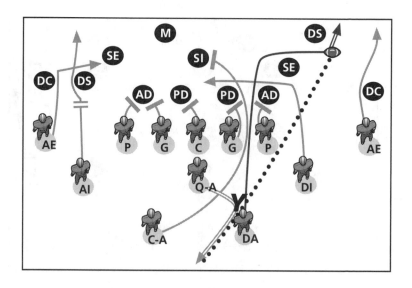

la course, laissant ainsi un demi ou un receveur de passe sans couvreur. On l'utilise souvent contre une défensive agressive sur les jeux au sol.

LES RECEVEURS DE PASSE OU AILIERS OFFENSIFS (*WIDE* ET *SLOT RECEIVERS*)

La fonction la plus visible des receveurs de passe est bien sûr de capter les passes avant (*forward passes*) lancées par le quart-arrière (*quarterback*). Mais ils doivent aussi courir des tracés (*routes*) destinés à étirer la défensive (*stretch the defense*) ou à berner l'adversaire, effectuer des blocs sur les jeux de course mais aussi parfois de passe, et même de temps à autre porter le ballon, dans un jeu truqué comme le jeu renversé (*reverse*) par exemple.

Outre l'ailier rapproché, il y a deux sortes d'ailiers, selon le poste qu'ils occupent dans la formation offensive : l'ailier espacé (*wide receiver*), qui se place à gauche ou à droite de la ligne offensive et à une certaine distance de celle-ci (selon la formation envoyée sur le terrain, il peut faire partie ou non des 7 joueurs placés sur la ligne de mêlée) ; et l'ailier inséré (*slot receiver*), qui se place en retrait (une verge environ) de la ligne de mêlée, à gauche ou à droite de la ligne. Ce dernier poste peut être occupé aussi bien par un ailier que par un demi offensif ; c'est pourquoi on peut parler aussi bien d'ailier inséré (*slot wide*) que de demi inséré (*slot back*) ; on peut aussi utiliser le terme flanqueur (*flanker*). Selon les formations employées (voir plus bas), une équipe pourra utiliser de zéro à 5 (dans la NFL) ou 6 (football canadien) ailiers offensifs sur un jeu donné.

QUELLE EST LA DIFFÉRENCE ENTRE L'AILIER ESPACÉ (*WIDE RECEIVER*) ET L'AILIER INSÉRÉ (*SLOT RECEIVER*)?

Il n'y en a pas vraiment. Les deux ont exactement les mêmes fonctions : courir des tracés, capter des basses, bloquer, porter le ballon à l'occasion. Seule leur position sur le terrain avant le début d'un jeu les différencie : l'ailier espacé (*wide*) est placé à l'extrémité de la formation, souvent près des lignes de côté, et occupe souvent un des 7 postes sur la ligne de mêlée ; tandis que l'ailier inséré (*slot*) est placé entre la ligne offensive et l'ailier espacé, et souvent en retrait d'une ou de quelques verges par rapport à la ligne de mêlée. De plus, la position d'ailier inséré (*slot*) peut être jouée par un demi (*back*).

En général, les receveurs de passe sont physiquement plutôt minces (parfois même élancés), même s'ils ne sont pas forcément grands (bien que ce soit un avantage pour capter les ballons lancés haut et pour avoir le dessus sur un demi défensif plus petit). De grandes mains sont un atout, car un bon receveur capte le ballon avec ses mains et non avec son corps. De plus, il doit être capable de protéger le ballon contre les défenseurs adverses qui tenteront par tous les moyens de le lui faire échapper.

Les **qualités** les plus importantes du receveur de passe sont :

- 🏈 la **vitesse** (*speed*) : pour être en mesure de se démarquer de son couvreur et gagner des verges supplémentaires après avoir capté le ballon (*run after catch*) ;

Vitesse

● de bonnes **mains** (*soft hands*) : pour capter les passes avec facilité et régularité (rien ne brise davantage le cœur d'un quart-arrière et des partisans d'une équipe qu'une passe qui aurait dû être captée et qui est échappée) ;

Mains

● une bonne **coordination** œil-mains-pieds : pour réagir avec rapidité aux ballons qui arrivent (ou même dévient) comme aux situations de lutte pour la possession du ballon ou aux croisements de joueurs dans le territoire défensif (*in the secondary*) ;

● une certaine **force** physique : pour résister aux contacts légaux et aux plaqués, pour protéger le ballon et pour obtenir un plus grand nombre de verges au sol après la passe (*run after catch*; *RAC*) ;

Force

● une bonne **maîtrise des mouvements** du corps : pour être capable de faire des feintes des pieds, des hanches ou des épaules qui désarçonneront les défenseurs ;

- une bonne **impulsion** (*jumping ability*) : pour être capable de capter une passe lancée un peu trop haut ou pour surpasser en hauteur (*outjump*) un défenseur dans des circonstances semblables ;

Impulsion

$$0 \qquad\qquad 6,5 \qquad 10$$

- la **vigilance** (*awareness*) : entre autres pour décider rapidement s'il faut tenter de capter le ballon ou plutôt le rabattre pour éviter l'interception ;

- une capacité de lire les défensives pour savoir si elles sont en couverture homme pour homme ou de zone (voir le chapitre 3) et pour deviner le *blitz* ; pour contrer l'utilisation du *blitz* par la défensive, un des receveurs, le receveur « *hot* » (*hot receiver*), est désigné à chaque essai ; il doit alors écourter son tracé (*route*) pour permettre au quart de se débarrasser du ballon (*get rid of the ball*) le plus vite possible.

Les fonctions du receveur de passe

Courir des tracés précis. Un des principaux apprentissages du receveur de passes est celui des **tracés** (*routes*) qu'il doit effectuer pendant un match. Il doit être capable de courir ces tracés en effectuant les feintes requises pour chacun. Il doit aussi mémoriser le livre de jeux (*play book*), car chaque receveur doit courir un tracé précis sur chacun des jeux commandés par le coordonnateur à l'attaque.

Les **principaux tracés (*routes*)** que doit maîtriser un receveur de passes:

Tracé	Illustration	Technique	Objectif
En profondeur (*up* ou *deep*)		Course en ligne droite, avec ou sans feinte(s)	Dépasser le couvreur en gagnant un pas ou deux sur lui; utilisé avec un receveur très rapide
Poteaux (*post*)		Course en ligne droite pour quelques verges, puis oblique vers les poteaux des buts, avec ou sans feinte	Se démarquer du couvreur et donner un angle au quart-arrière
Vers le coin (*corner*)		Course en ligne droite pour quelques verges, puis oblique vers le coin de la zone des buts, avec ou sans feinte	Se démarquer pour que le quart-arrière puisse lober le ballon par-dessus le défenseur; passe souvent visée pour la zone des buts
À angle droit (*square in* ou *square out*)		Course en ligne droite pour quelques verges, puis tournant à 90 °, le plus souvent avec feinte vers la direction inverse	Gagner un pas sur le couvreur et donner un angle au quart-arrière

Tracé	Illustration	Technique	Objectif
Crochet (*hook*)		Course en ligne droite ou oblique puis, au bout de quelques verges, retour vers la ligne de mêlée avec un angle de 140 ou 150 °	Surprendre le couvreur qui continuera à courir un instant ou se positionner dans un espace laissé libre dans une défensive de zone (*zone defense*)
À contretemps (*hitch*)		Course ou feinte de course en ligne droite puis, immédiatement ou au bout de quelques verges, arrêt brusque et pivot sur 180 °	Surprendre un couvreur placé trop loin de la ligne de mêlée ou qui ne réagit pas assez rapidement ; en général pour un court gain
Oblique (*slant*)		Course oblique (30 ou 40 °) depuis l'extérieur vers le centre du terrain	Prendre son couvreur de vitesse et offrir un bon angle de réception au quart ; peut donner un très long gain avec un receveur rapide
Retour (*comeback*)		Après n'importe quel type de tracé, retour en direction de la ligne de mêlée	Donner une meilleure cible au quart quand celui-ci est en difficulté

Tracé	Illustration	Technique	Objectif
Dans le flanc (*in the flat*)		Tracé oblique (10 à 15 °) vers les lignes de côté, parfois suivi d'un arrêt ou de déplacements pour se découvrir	Jeu généralement improvisé par un demi à l'attaque pour contrer un *blitz* ou encore pour dépanner
À contretemps, puis en ligne droite (*hitch and go*)		Course en ligne droite puis, au bout de x verges, arrêt brusque et pivot sur 180 °, et re-départ en ligne droite	Forcer le couvreur à s'arrêter, puis le distancer vers la zone des buts
Roue (*wheel*)		Course en quart de cercle puis, après une feinte, tracé en profondeur	Amener le défenseur à se compromettre, puis le semer, ou se placer dans un endroit non couvert entre deux zones
Flèche (*arrow*)		Course oblique vers l'intérieur puis, après un pivot ou une boucle, départ en oblique vers l'extérieur	Gagner un pas ou deux sur le défenseur et donner comme cible son épaule extérieure au quart-arrière

Lire la défensive (*read the defense*). Le receveur doit aussi ajuster ses feintes et son tracé au type de défensive utilisée par l'autre équipe (voir le chapitre 3). Si la défensive utilise une **couverture homme pour homme** (*man to man*), il devra d'abord chercher à distancer son ou ses couvreurs. Si elle utilise une **couverture de zone** (*zone*), il devra ajuster son tracé pour dénicher un espace non ou mal défendu (*soft spot*) où il s'installera (*sit in the zone*) pour recevoir une passe. Il peut aussi utiliser deux vitesses, une vitesse moyenne avant la feinte ou le moment où son tracé change de trajectoire (*stem*) et une deuxième vitesse pour distancer son couvreur (*burst*).

Ajuster son jeu à la situation. Il doit aussi savoir **improviser** selon la façon dont le jeu se déroule : écourter son tracé pour être disponible plus tôt en situation de *blitz* de la défensive, surtout s'il est le receveur « *hot*» ; revenir sur ses pas pour servir de dépanneur quand son quart est en difficulté (*scrambling*) : s'il a couru un tracé en profondeur, revenir sur ses pas ; s'il a couru un tracé court, se déplacer vers la zone des buts adverse ; s'il s'est déplacé vers les lignes de côté, revenir vers le centre. Pendant un jeu, il doit aussi savoir indiquer au quart qu'il est libre par des signaux du bras.

Transmettre des informations sur la défensive. Sur les lignes de côté, il pourra donner des indications sur la qualité de la couverture utilisée par l'autre équipe, de façon à préparer un gros jeu, suite à un déséquilibre (*mismatch*) qu'il aurait identifié, par exemple.

Effectuer des blocs (*block*). Malgré le fait qu'il soit surtout reconnu pour sa vitesse et sa capacité à capter des passes, le receveur de passes doit aussi savoir **bloquer.**

D'abord en situation de course, particulièrement quand le jeu se dirige vers son côté du terrain. Et aussi en situation de passe, dans certains cas précis (passe voilée par exemple). La négligence ou l'incapacité d'un receveur de passes à effectuer des blocs fera avorter plusieurs jeux, lacune dont ses entraîneurs et ses coéquipiers seront fort conscients (sans compter les joueurs de l'autre équipe, qui sauront en profiter). Il doit bien sûr savoir plaquer (*tackle*) dans les cas où il y a interception ou échappé recouvré par l'autre équipe.

L'ailier rapproché (*tight end*)

L'ailier rapproché (*tight end*) a des responsabilités doubles (*dual responsibilities*) : il est à la fois un bloqueur et un receveur de passes, selon ce que le jeu choisi commande. Généralement, une équipe comptera deux genres d'ailier rapproché : celui qui bloque bien (*blocking tight end*) et celui qui capte bien les passes (*receiving tight end*), quoiqu'il ne soit pas impossible de conjuguer les deux qualités (*balanced tight end*).

Pour un jeu donné, une équipe peut utiliser aucun, un, deux ou même trois ailiers rapprochés. Comme ce sont des joueurs polyvalents, le coordonnateur à l'attaque pourra les utiliser pour des jeux d'influence, particulièrement à proximité de la zone des buts adverse. Par exemple, feindre un bloc, puis se dégager et se découvrir pour recevoir une passe de touché.

Bien que ce soit règle générale la responsabilité d'un secondeur extérieur (*outside linebacker*) de le couvrir en

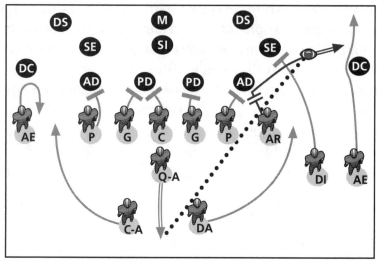

Feinte de bloc de l'ailier rapproché, puis réception de passe.

QU'EST-CE QUE LE CÔTÉ FORT (*STRONG SIDE*)?

On appelle généralement le côté fort celui où l'équipe à l'attaque a placé le plus de joueurs éligibles (*overload*), ce qu'elle fait généralement du côté large (*wide side*) du terrain. Par exemple, quand une unité offensive utilise un ailier rapproché (*tight end*) et deux receveurs de passe du même côté; ou qu'elle place trois receveurs de passe du même côté (*tripplets*). L'autre moitié du terrain (celle qui est plus étroite et où on dispose généralement moins de joueurs éligibles) est appelée le côté faible (*weak side*).

situation de passe, le coordonnateur à l'attaque astucieux cherchera à l'isoler (*isolate*) sur un demi défensif (*defensive back*), qu'il pourra bousculer pour gagner du terrain après avoir capté la passe.

Un ailier rapproché a généralement les **qualités** suivantes :

- **grand et lourd** (mais moins que les joueurs de ligne), pour être capable de bloquer les joueurs de ligne défensive et les secondeurs, et aussi de gagner des verges au sol après avoir capté la passe (*run after catch*) ;

- d'une **rapidité** moyenne (moins que les ailiers espacés, mais plus qu'un joueur de ligne), pour être capable de courir des tracés (*routes*) et de se découvrir ;

  Vitesse

- de bonnes **mains** (*soft hands*), pour être en mesure de capter les passes avant ;

  Mains

- la **maîtrise des techniques de bloc**, aussi bien pour le jeu au sol que pour la passe ;

  Bloquer

Les fonctions de l'ailier rapproché

Bloquer (*block*). L'ailier rapproché doit maîtriser les mêmes techniques de bloc qu'un joueur de ligne offensive (voir plus haut). En situation de course, on pourra lui demander de sceller le coin de la ligne (*seal the corner*) dans le cas d'une course hors plaqueurs ou d'un balayage, par exemple, ou encore de se diriger au cœur de la défensive adverse (*in the secondary*) pour servir de bloqueur mobile au demi. En situation de passe, il n'est pas soumis aux mêmes limitations que les joueurs de ligne (voir plus haut). Il pourra, avec l'aide du plaqueur (*tackler*), effectuer un bloc à deux (*double team block*) sur un ailier défensif (*defensive end*) particulièrement dangereux et susceptible de réussir le rabattement (*sack*) du quart; ou encore bloquer un défenseur (secondeur ou demi défensif) qui effectue un *blitz* à l'extérieur de la ligne.

Courir des tracés (*routes*) et capter des passes. En principe, l'ailier rapproché doit pouvoir courir les mêmes tracés qu'un ailier espacé. En pratique, comme il est moins rapide, on aura tendance à lui faire courir des tracés courts (de 5 à 10 verges) et à l'utiliser dans les situations où il faut quelques verges pour gagner un premier essai (*first down*) ou marquer un touché. Toutefois, certains ailiers rapprochés sont si athlétiques et si rapides qu'on peut les utiliser pour courir pratiquement n'importe quel tracé: c'est un plus pour une équipe.

QU'EST-CE QU'UN *BLITZ*?

Comme nous le verrons plus loin, les joueurs de la défensive ont eux aussi des fonctions spécifiques. Les joueurs de la ligne défensive (*defensive line*) sont chargés plus spécifiquement de stopper la course et d'appliquer de la pression sur le quart-arrière adverse (*apply pressure* ou *rush the quarterback*). À n'importe quelle phase du jeu, que ce soit contre la course ou contre la passe, le coordonnateur à la défensive (*defensive coordinator*) peut demander à un des autres joueurs de la défensive de tenter de pénétrer dans le champ arrière pour arrêter le coureur avant qu'il ait pris son envol ou rabattre (*sack*) le quart-arrière : c'est le *blitz*, mot qui n'a pas d'équivalent en français.

Le centre-arrière (*fullback*)

Le centre-arrière est un joueur qui a des fonctions similaires à celles de l'ailier rapproché (*tight end*), en plus de porter le ballon pour un jeu au sol (*run*) à l'occasion. Il s'en distingue aussi parce que sa place habituelle est dans le champ arrière (*backfield*) et non sur la ligne de mêlée (*line of scrimmage*). Il peut porter le ballon et recevoir des passes, mais il est davantage utilisé pour effectuer des blocs pour le demi à l'attaque (*halfback*).

Physiquement, il se situe généralement entre le demi à l'attaque et l'ailier rapproché : un peu plus grand que le demi, mais surtout beaucoup plus costaud, il est plus court et plus trapu que l'ailier rapproché. Ses principales **qualités** sont les suivantes :

- la **force** (*strength*) : parce qu'il est chargé de bloquer des joueurs qui sont souvent plus lourds que lui et que certains d'entre eux, surtout ceux qui *blitzent*, foncent vers le quart à pleine vitesse ;

Force

- une certaine **vitesse** (*speed*) : parce qu'il doit à l'occasion porter le ballon ou recevoir une passe avant et qu'il doit précéder le demi au cœur de la défensive pour bloquer ;

Vitesse

- une excellente **technique de bloc** : parce qu'il doit ouvrir le chemin pour le demi à l'attaque (*running back*) et parce qu'il est souvent le dernier rempart entre un défenseur et son quart, qu'il doit protéger pour qu'il ne soit pas plaqué derrière la ligne de mêlée (*sacked*) ni, surtout, blessé ;

Bloquer

- l'**esprit de sacrifice** : parce qu'il reçoit rarement les honneurs et que son jeu n'est guère remarqué des spectateurs, même s'il effectue souvent des jeux clés.

Les fonctions du centre-arrière

Bloquer. Le centre-arrière est d'abord et avant tout un bloqueur, qui sort du champ arrière par une brèche ouverte par la ligne à l'attaque avant le demi qui porte le ballon, et qui effectue un ou des blocs pour lui. Ses principales cibles sont généralement les secondeurs (*linebackers*), qui sont grands, forts et rapides. Sa technique de bloc doit donc être excellente pour que le jeu de course soit un succès : le bloc d'épaule, le bloc à angle et le bloc aux jambes (de face !) sont ses principaux outils. Il peut aussi bloquer en situation de passe, en repérant un défenseur qui aurait pénétré dans le champ arrière (*backfield*) ou même dans la pochette protectrice (*pocket*).

    Porter le ballon. À l'occasion, pour un court gain qui requiert de la puissance (à proximité de la ligne des buts, par exemple) ou pour surprendre la défensive qui porte

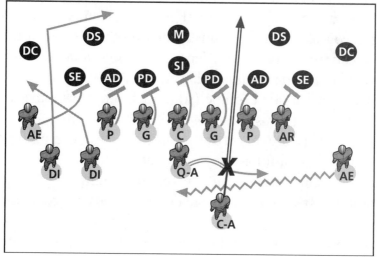

Le plongeon du centre-arrière.

plus d'attention au demi, le centre-arrière porte le ballon. Ces jeux de course du centre-arrière sont plus souvent dessinés pour attaquer le cœur de la ligne défensive que pour se diriger vers les lignes de côté, à cause de sa vitesse moyenne. Le bon centre-arrière est celui qui protège férocement le ballon et ne l'échappe jamais ou presque.

Recevoir des passes. Le centre-arrière peut aussi recevoir des passes au même titre que les ailiers et les demis. On dessine donc pour lui des tracés qui sont généralement courts, souvent dans le flanc (*in the flat*) ou juste derrière la ligne défensive, dans la zone que défendent les secondeurs (*linebackers*).

Le demi offensif (*halfback, running back* ou *tailback*)

Le demi offensif occupe une des positions les plus spectaculaires au football. Il est en effet principalement chargé de recevoir le ballon des mains du quart-arrière et de le porter, en courant, à travers la défensive adverse (*in the secondary*), vers la zone des buts. Règle générale, il est parmi les plus petits joueurs de l'équipe (souvent moins de six pieds ou 1,80 mètre), mais il est costaud, particulièrement dans la partie inférieure du corps (bassin et jambes), et a un centre de gravité plutôt bas (il y a aussi des porteurs de ballon de grande taille, mais ils sont l'exception). Inutile de dire qu'il doit être très rapide, capable de résister aux coups, et avoir de fortes mains (ainsi qu'une bonne technique) pour ne pas échapper le ballon. Il doit aussi avoir la faculté de prendre des décisions rapides pour profiter de la moindre ouverture, et celle de lire les blocs (*read the blocks*) que font pour lui ses coéquipiers pour décider à l'instant même de quel côté de son bloqueur il doit passer. Il doit aussi souvent bloquer les joueurs de la défensive adverse, principalement en situation de passe. Il peut aussi recevoir des passes : un demi qui a de bonnes mains est un atout pour une équipe !

POURQUOI UNE ÉQUIPE DOIT-ELLE COMPTER SUR UN BON DEMI À L'ATTAQUE (*HALF BACK*) ?

L'importance d'un bon demi à l'attaque est cruciale, parce que l'équipe qui ne réussit pas à faire avancer le ballon au sol doit nécessairement le faire par la passe. De sorte que la défensive qui l'affronte pourra mettre en place des formations (*formations*) et des couvertures (*coverage*) destinées à contrer la passe, rendant celle-ci d'autant plus difficile. L'importance d'un bon demi est encore plus grande quand une unité offensive se trouve dans la zone payante (*red zone*), c'est-à-dire à vingt verges et moins de la zone des buts adverse. Une équipe incapable de courir devra s'en remettre à la passe pour marquer des touchés (*touchdowns*), alors que l'espace disponible pour courir des tracés (*routes*) et se dégager de son couvreur rétrécit à mesure qu'on approche de la zone des buts (*end zone*) : pas facile ! Aux footballs universitaire et professionnel canadiens, où une unité offensive ne dispose que de trois essais pour franchir les dix verges requises pour obtenir un premier essai (*first down*), une équipe qui n'a pas de demi de qualité devra passer à presque tous les jeux. Ce qui facilitera la tâche de la défensive.

Les principales **qualités** requises d'un demi à l'attaque sont :

- la **vitesse** (*speed*) et l'accélération (*acceleration*) : le demi à l'attaque doit avoir une vitesse supérieure à la plupart des joueurs sur le terrain pour être en mesure de profiter de toute brèche ouverte dans la ligne défensive, puis de distancer les défenseurs lancés à sa poursuite une fois qu'il a franchi celle-ci et se retrouve au cœur de la défensive (*in the secondary*) ; on dit qu'il doit avoir une deuxième et même une troisième vitesse ;

Vitesse

- l'**équilibre** (*balance*) : le demi doit aussi avoir un centre de gravité très bas de façon à avoir un excellent équilibre, ce qui lui permettra de se défaire de plaqués (*break tackles*), de rester sur ses pieds malgré les chocs et de poursuivre sa course même après avoir été frappé ; la plupart des demis cherchent à courir le plus bas possible (*run low*), aussi bien pour résister aux plaqués que pour se camoufler derrière leurs coéquipiers généralement plus massifs qu'eux ;

- la capacité de **lire les blocs** (*read blocks*) : il doit aussi être patient, de façon à suivre ses bloqueurs et à ne pas les dépasser (*outrun*), et être capable de comprendre le bloc qu'effectue son joueur et par conséquent de choisir le bon côté pour contourner l'obstacle ;

- des **feintes de qualité** (*moves*) : pour être en mesure d'esquiver le plaqué (*tackle*) d'un joueur de la défensive s'amenant vers lui ; une des feintes les plus utiles consiste à tourner les épaules dans une direction en courant vers l'autre (essayez-le pour voir !), ce qui provoque plusieurs plaqués ratés (*missed tackles*) ;

- **agilité** (*agility*) : le demi se doit d'être agile pour être capable d'effectuer des changements de direction rapides (*cutbacks*) ou enjamber un obstacle, et ainsi éviter un plaqué ou profiter d'une ouverture imprévue ;

Agilité

- de bonnes **mains** (*soft hands*) : pour capter les passes qui lui sont lancées à la fois quand il sert de dépanneur et quand il court un tracé ;

Mains

- une bonne **vision** du jeu (*vision*) : pour décider en une fraction de seconde quelle direction prendre, quel bloqueur suivre, etc.

QUELLES SONT LES PRINCIPALES TECHNIQUES DE REMISE DU BALLON AU DEMI ?

Quand le quart-arrière reçoit le ballon du centre pour un jeu de course, il peut le remettre au demi de trois façons :

- De main à main (*hand off*) : le quart recule en ligne droite ou oblique, selon le jeu choisi, pivote sur lui-même, vers la droite ou la gauche, et remet le ballon de façon sécuritaire entre les deux mains du demi, à la hauteur de l'estomac, dans le panier (*in the basket*) ; ce panier est formé des deux bras placés en parallèle et horizontalement, celui du côté d'où vient le ballon au-dessus, de façon à ce que la remise ne soit pas dérangée par l'humérus.

- Par lancer arrière (*pitch* ou *toss*) : le quart recule en ligne droite ou oblique, pivote sur lui-même, vers la droite ou la gauche, puis lance le ballon en utilisant ses deux mains, qui sont sous la ceinture, à la façon d'un joueur de rugby, en direction du demi qui a déjà quitté sa position dans le champ arrière.

- Par passe latérale (*lateral*), sous ou par-dessus l'épaule : le quart peut aussi effectuer une passe latérale (c'est-à-dire en parallèle ou vers l'arrière) de n'importe quelle façon : sous la ceinture, au niveau de la poitrine, et même par-dessus l'épaule.

Les fonctions du demi à l'attaque

Porter le ballon (*carry the ball*). En tant que porteur de ballon, le demi à l'attaque reçoit le plus souvent le ballon directement des mains du quart (*hand off*) ou par une courte passe arrière (*pitch* ou *toss*) de celui-ci. Il est à noter que cette remise se fait toujours vers l'arrière, de sorte que, si le ballon est échappé (*fumbled*) dans l'échange, il est toujours en jeu et peut donc être recouvré par la défensive. Le demi peut aussi recevoir le ballon directement du centre (*snapper*), dans la formation « éventail » (*shotgun*) ou lors d'une feinte de botté de dégagement (voir le chapitre 4), par exemple, dans le but de surprendre la défensive.

Une fois en possession du ballon, le demi doit trouver l'ouverture que lui a faite la ligne à l'attaque et suivre son ou ses bloqueurs, chargés de neutraliser ou même de renverser les joueurs adverses et de lui créer ainsi des ouvertures. En principe, le demi court dans une ouverture qui a été déterminée par le choix de jeu ; mais il doit aussi être capable d'improviser si celle-ci ne se matérialise pas ou qu'une meilleure occasion se présente à lui. Il doit donc avoir une bonne vision du jeu et de la patience (pour ne pas se précipiter sur un adversaire ou distancer ses bloqueurs). Il doit aussi être capable de faire des changements de direction (*cutbacks*) très rapidement pour profiter de la moindre brèche (*gap* ou *hole*).

Recevoir des passes. Soit selon un jeu préparé à l'avance (il s'agit le plus souvent d'une courte passe, de l'autre côté de la ligne défensive adverse, dans le flanc, ou d'une passe voilée), soit à la suite d'une improvisation du quart (*scramble*) à la suite d'un jeu avorté. Dans ce dernier cas, il doit se découvrir (trouver un endroit où il est libre après avoir effectué son bloc), dans le flanc ou de l'autre côté de la ligne de mêlée.

Bloquer. En situation de passe, il peut être responsable d'apercevoir un joueur de ligne défensive adverse qui aurait franchi sa ligne à l'attaque, ou de freiner un secondeur ou un demi défensif qui *blitze*, le temps que son quart-arrière décoche sa passe. Il peut aussi bloquer lorsqu'un de ses coéquipiers du champ arrière, le centre-arrière ou le quart-arrière, porte le ballon.

QU'EST-CE QUE LA TECHNIQUE DU BRAS TENDU (*STIFF ARM*) ?

Le porteur de ballon (quart, centre-arrière, demi ou ailier) dispose au football d'un privilège : celui de pouvoir utiliser son bras libre (celui qui ne porte pas le ballon) pour écarter un défenseur qui tente de le plaquer ou même le renverser. Le bras tendu, il peut utiliser sa main ouverte et l'appliquer sur n'importe quelle partie du corps du défenseur, y compris la tête, le visage et le protecteur facial (*face mask*), à condition de ne pas fermer la main sur celui-ci. Cette technique peut être d'une efficacité surprenante, permettant parfois au porteur de ballon de se dégager d'un joueur beaucoup plus costaud que lui, ou de le renverser.

Le quart-arrière (*quarterback*)

Sans doute la plus difficile au football et peut-être même dans tous les sports confondus, la position de quart-arrière requiert une foule de qualités. Une carence dans un seul domaine rend le quart ordinaire ou même médiocre. Il doit donc être un athlète complet. Il suffit de penser à la connaissance exhaustive du livre de jeux qu'il doit avoir, au leadership qu'il doit manifester sur le terrain comme à l'extérieur, au fait qu'il doit être capable de lire une défensive en quelques secondes, au sang froid dont il doit faire preuve une fois que le centre lui a fait la remise et aux qualités athlétiques qui lui permettront de réussir le jeu pour comprendre qu'il s'agit d'une position hors du commun.

Les **qualités** requises d'un quart-arrière sont :

🏈 la **connaissance et la compréhension du livre de jeux** (*playbook*) : le quart-arrière doit connaître le livre de jeux de son entraîneur (*head coach*) sur le bout des doigts ; non seulement doit-il mémoriser son propre rôle dans chacun des jeux, mais encore celui de l'ensemble des joueurs, et plus particulièrement les tracés (*routes*) de chacun des receveurs de passes, pour être capable de trouver un receveur libre si celui qui a été désigné comme premier receveur (*primary receiver*) n'est pas découvert ;

🏈 la **lecture de la défensive adverse** (*read the defense*) : une fois installé derrière le centre, tout en faisant le décompte (*snap count*) menant à la remise, le quart doit étudier l'ensemble de la défensive adverse pour essayer de deviner si celle-ci prépare un *blitz*, si elle est en couverture homme pour homme (*man to man*) ou en couverture de zone (*zone*) (voir le chapitre 3), s'il y a un possible déséquilibre (*mismatch*) qu'il peut exploiter, etc. ; s'il est autorisé à le faire, il peut alors modifier le jeu et en commander un autre (*call an audible*) sur la ligne de mêlée ; en situation de passe, une fois le ballon en sa possession, il doit rapidement déterminer si le receveur prioritaire (*primary receiver*) est libre et, sinon, pourquoi, puis, le cas échéant, repérer un autre receveur en tenant compte de ce qu'il vient de voir ; cette lecture de la défensive est un des éléments essentiels de l'apprentissage du métier de quart, qui apprend à la faire méthodiquement, par étapes (*reading progression*) ; certains y arrivent difficilement, d'autres jamais tout à fait ;

● un bon **bras** : évidemment, comme une des principales fonctions du quart est d'effectuer des passes avant, il doit être doté d'un bras puissant et précis et de la capacité d'effectuer le mouvement avec rapidité (*quick release*) ; cette dernière qualité peut être naturelle (on n'a qu'à penser à Dan Marino), mais elle peut se développer jusqu'à un certain point ;

Bras

● de bons **réflexes** : à partir du moment où le centre lui a fait la remise, le quart ne dispose que de très peu de temps pour effectuer un jeu, que ce soit la remise au demi ou la passe avant ; il doit donc être capable de prendre une décision en une fraction de seconde, particulièrement quand le jeu prévu avorte à cause d'une erreur d'un de ses joueurs ou d'un bon jeu de la défensive, et mettre en marche une seconde option ; les réflexes deviennent encore plus importants quand la défensive réussit à appliquer de la pression (*apply pressure*) et qu'il est menacé d'être rabattu (*sacked*) derrière la ligne de mêlée ; il doit choisir instantanément le meilleur jeu, soit celui qui permettra de perdre le moins de verges possible et, surtout, de ne pas remettre le ballon à la défensive suite à un échappé ou une interception ;

● la **vigilance** (*awareness*) : le quart doit être sensible à tout mouvement sur le terrain à partir du moment où le ballon est en jeu ; il doit entre autres être en mesure de « sentir » un défenseur qui a contourné sa ligne et s'apprête à le frapper par derrière (*from the blind side*) ;

● le **leadership**: le quart-arrière doit être le « capitaine » de l'attaque ; il doit donc motiver ses coéquipiers par son jeu, son attitude et ses paroles aussi bien dans le caucus (*huddle*) que pendant le jeu et même sur les lignes de côté (*side lines*) ;

● une certaine **vitesse**: c'est peut-être la seule qualité qui soit facultative ; en effet, certains quarts-arrières sont très lents et se contentent de rester dans la pochette protectrice à tous les jeux ou presque ; elle est cependant un atout, puisqu'un quart rapide constitue une arme de plus pour l'offensive, pouvant courir avec le ballon et esquiver les défenseurs plus facilement; une équipe qui possède les deux types de quart peut changer radicalement le tempo d'un match en effectuant une substitution de quart.

Vitesse

0   4   9,5

QU'EST-CE QU'UN JEU COMMANDÉ SUR LA LIGNE DE MÊLÉE (*AUDIBLE*)?

Quand le quart-arrière s'installe derrière le centre, il jette un coup d'œil pour déterminer quelle formation l'équipe adverse a envoyée sur le terrain (4-3; *nickel*; *dime*; etc.; voir le chapitre 3); puis il observe la position des défenseurs et leur attitude pour essayer de déterminer s'ils préparent un *blitz*, s'ils jouent la course ou la passe, s'ils sont en défensive de zone (*zone*) ou en défensive homme pour homme (*man*), etc. S'il constate que le jeu commandé dans le caucus a de fortes chances d'échouer ou qu'un autre jeu pourrait procurer un gain important, il peut alors annuler le jeu choisi et en commander un autre (*call an audible*), en donnant une nouvelle séquence codée à ses joueurs, avant la remise. La défensive aussi peut modifier sa stratégie et arrêter le choix d'un autre jeu (*audiblelize*) avant la remise. C'est le jeu du chat et de la souris.

Les fonctions du quart-arrière

Commander les jeux dans le caucus (*huddle*). Le quart-arrière est le joueur à qui l'entraîneur fait connaître le jeu choisi ; il a alors la responsabilité de le transmettre aux autres joueurs de l'attaque dans le caucus et de s'assurer que chacun a bien compris son rôle.

COMMENT LE JEU CHOISI PAR LE COORDONNATEUR À L'ATTAQUE EST-IL TRANSMIS AU QUART ?

De trois façons : 1) soit que le casque du quart-arrière est équipé d'un système audiophonique, comme dans la NFL, qui permet à l'entraîneur de lui parler directement ; 2) soit que l'entraîneur ou un autre joueur (souvent un quart substitut), installé sur les lignes de côté (*sidelines*), lui transmet le jeu en utilisant des signaux visuels codés qu'il fait avec ses mains et ses bras ; 3) soit par un des joueurs qui arrive des lignes de côté pour en remplacer un autre entre deux jeux (*substitution*). Certains quarts ont sur un avant-bras un bandage ou un protecteur sur lequel l'ensemble des jeux et des codes est transcrit, et qui lui sert d'aide-mémoire.

Faire le décompte (*snapcount*) qui mène à la remise du ballon. Quand le quart-arrière s'installe derrière le centre, il procède à haute voix, de façon à être bien entendu de chacun de ses joueurs, au décompte qui mènera à la remise (*snap*). Ce décompte varie d'essai en essai de façon à compliquer la tâche de la défensive, qui ne sait alors jamais quand le ballon est mis en jeu. Quand les conditions ne permettent pas un décompte à haute voix (trop de bruit dans le stade, par exemple), le quart peut alors procéder à un décompte silencieux, c'est-à-dire que le centre procède à la remise quand le quart effectue un certain geste, comme lever la jambe droite ou se taper sur la cuisse. Le quart a la liberté d'interrompre le décompte pour commander un nouveau jeu (*audible*) ou pour demander un temps d'arrêt (*time out*). Il peut aussi se retirer de derrière le centre et se déplacer dans le champ arrière pour transmettre ses consignes à ses coéquipiers ou pour se placer en position éventail (*shotgun*).

Remettre le ballon au demi (*back*). Quand le jeu choisi est une course, le quart doit, après la remise, reculer dans le champ arrière (*in the backfield*), pivoter du côté où se dirige le jeu, puis remettre le ballon au demi de façon sécuritaire en utilisant une des techniques expliquées plus haut. Si la

---

COMMENT LES JOUEURS À L'ATTAQUE SAVENT-ILS À QUEL MOMENT LE CENTRE EFFECTUERA LA REMISE (*SNAP*)?

Dans le caucus, en plus de dire aux joueurs quel jeu a été choisi, le quart leur indique aussi sur quel chiffre ou quel son, ou selon quelle séquence, le centre lui remettra le ballon. Il est très important que chacun des joueurs se souvienne du décompte pour éviter le hors-jeu. En général, le ballon est mis en jeu au son «*hut*», le quart précisant dans le caucus si la remise aura lieu sur le premier, le deuxième, le troisième «*hut*», etc.

---

remise avorte pour quelque raison que ce soit, il doit improviser un jeu de course ou même une passe (*scramble*).

Faire une passe avant (*forward pass*). Quand le jeu choisi est une passe, le quart recule (*drops back*) dans la pochette protectrice après la remise, lit le déploiement de la défensive ainsi que les tracés (*routes*) courus par ses receveurs, puis lance la passe au receveur prioritaire (*primary receiver*) s'il est à découvert; s'il ne l'est pas, il en cherche un second ou utilise le demi qui sert de dépanneur (*safety valve*); si aucun receveur n'est à découvert, il improvise (*scramble*) en cherchant à protéger le ballon et à perdre le moins de verges possible.

QUELLE EST LA TECHNIQUE UTILISÉE PAR LE QUART POUR RECULER DANS LA POCHETTE PROTECTRICE (*DROP IN THE POCKET*)?

Quand le quart recule pour faire une passe, il amorce son mouvement de recul (*drop*) avec le pied du côté fort, c'est-à-dire celui du côté du bras qu'il utilise pour lancer le ballon, puis il déplace le second pied derrière le premier dans un mouvement croisé; en même temps, il pivote aux trois quarts du même côté. Le nombre de pas (*steps*) qu'il effectue vers l'arrière dépend du jeu commandé : une courte passe à l'ailier pourra se faire après un pas seulement, une longue passe après 5 ou même 7 pas. Il est à noter que le nombre de pas est toujours impair (recul de 1, 3, 5 ou 7 pas), parce que le pied fort doit se retrouver vers l'arrière au moment où le quart lance le ballon pour profiter du meilleur transfert de poids possible.

Courir. Le quart-arrière, quelles que soient ses qualités athlétiques, peut être amené à courir avec le ballon en certaines circonstances. D'abord, à l'occasion d'un jeu choisi par l'entraîneur. Il peut s'agir de la **faufilade du quart** (*quarterback sneak*), qui vise en général à gagner moins d'une verge, pour pénétrer dans la zone des buts ou gagner un premier essai. Ou de la **dérobade** (*bootleg*), alors que le quart feint la remise du ballon à un demi, puis se déplace vers la gauche ou la droite en camouflant le ballon le long de sa cuisse. Il peut aussi s'agir du jeu d'**option** (*option*), dans lequel le quart court vers sa droite ou sa gauche à la manière d'un demi tout en ayant le choix (avant d'avoir franchi la ligne de mêlée, bien sûr), de lancer le ballon à un demi ou à un ailier qui le précède, selon ce qui lui paraît le mieux.

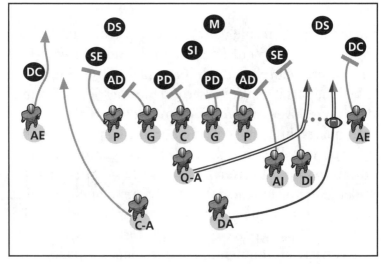

Le jeu d'option.

Il peut aussi être forcé de courir quand la remise au demi échoue ou qu'aucun receveur de passe n'est ouvert. Dans ce cas, il improvise de son mieux et cherche, après avoir gagné le maximum de verges, autant à protéger le ballon qu'à éviter les blessures. Il faut savoir que le quart-arrière dispose alors d'un privilège: il peut en effet à tout moment décider de **glisser** (*slide*) les pieds devant, auquel cas les joueurs adverses devront éviter de le plaquer. Le ballon sera alors déposé par l'arbitre à l'endroit où sa glissade a commencé.

Bloquer. Sur certains jeux, il peut être décidé à l'avance que le quart effectue un bloc: le jeu renversé (*reverse*) par exemple. Mail il est rare qu'on demande au quart de bloquer à cause des risques de blessures à ce joueur clé. Il peut néanmoins aussi effectuer un bloc alors qu'il improvise à la suite d'un jeu qui vient d'avorter. Certains quarts plus «physiques» peuvent aussi faire un bloc dans certaines circonstances, pour gagner un premier essai crucial ou dans un match des séries. À chaque fois, l'entraîneur en chef (*head coach*) retient son souffle.

LES FORMATIONS À L'ATTAQUE

Quand elle se présente sur le terrain, l'unité offensive a un grand nombre de possibilités de jeux qui sont inscrites dans le livre (*play book*) de l'entraîneur (*head coach*). En général, une unité à l'attaque en maîtrise plus d'une centaine, mais en pratique plus spécifiquement trente à soixante pour un match donné. Ces jeux sont divisés en catégories, selon la formation qui est envoyée sur le terrain.

POURQUOI LES JOUEURS À L'ATTAQUE SE REGROUPENT-ILS EN CAUCUS (*HUDDLE*) AVANT CHAQUE JEU?

Quand les joueurs de l'unité offensive prennent pied sur la surface de jeu, et entre chaque jeu, ils se rassemblent en cercle au centre du terrain: c'est le caucus (*huddle*). Il se tient entre les lignes de remise en jeu (*hash marks*), à une distance de 7 à 15 verges de la ligne de mêlée (*line of scrimmage*). Les substitutions de joueurs doivent se faire avant le caucus. Une fois tous les joueurs à l'attaque rassemblés, le quart-arrière leur indique quel est le jeu choisi, ainsi que le décompte (*snap count*). Règle générale, il est le seul qui y a droit de parole. À la fin du caucus, les joueurs se tapent dans les mains et lancent un cri de ralliement.

Il est permis de procéder à une **attaque sans caucus** (*without a huddle* ou *hurry up offense*) à n'importe quel moment du match. Si c'est le cas, les joueurs de l'unité à l'attaque se dirigent directement à leurs positions après chaque jeu et le quart leur transmet ses instructions pendant qu'ils s'installent (ces instructions peuvent aussi provenir par signaux des entraîneurs placés sur les lignes de côté). L'attaque sans caucus a plusieurs fonctions: 1) empêcher les joueurs de la défensive de se reposer entre chaque essai; 2) empêcher la défensive de faire des substitutions de joueurs entre chaque essai (ça n'est pas interdit, mais très difficile en pratique), ce qui permet à l'équipe à l'attaque de capitaliser sur le fait qu'elle connaît la formation défensive; 3) rendre plus difficile aux joueurs de défense la concertation sur leur prochaine stratégie défensive; 4) accélérer le jeu pour gagner de précieuses secondes. Cette tactique est surtout utilisée dans les dernières minutes d'une demie (*half*), quand il ne reste que peu de secondes au cadran.

À chaque jeu, le responsable de l'unité offensive peut en effet envoyer une formation différente sur le terrain, selon les circonstances : avec un seul demi à l'attaque ; avec deux demis ; sans ailier rapproché, ou avec un, deux ou même trois de ceux-ci ; avec un, deux, trois, quatre ou même cinq receveurs de passe. Sa seule contrainte est la suivante : il doit utiliser au moins cinq joueurs de ligne (*linemen*) ainsi qu'un joueur qui recevra le ballon du centre : le quart-arrière (*quarterback*), le teneur (*holder*) ou le botteur de dégagement (*punter*). Quant aux autres joueurs, il peut les placer à peu près n'importe où sur le terrain, à condition de respecter certaines règles de base (dont celle des 7 joueurs sur la ligne de mêlée), lesquelles divergent légèrement selon les ligues. Voyons quelques-unes des formations à l'attaque les plus utilisées, en sachant qu'il ne s'agit que d'exemples et qu'en ce domaine l'imagination est reine.

Les formations à trois demis (*three backs formations*). L'équipe à l'attaque peut choisir d'envoyer sur le terrain une formation qui compte trois demis : deux demis (*halfbacks*) et un centre-arrière (*fullback*), ou le contraire. Ces formations sont évidemment axées sur le jeu au sol : leur intérêt réside dans le fait que deux bloqueurs (*tacklers*) peuvent sortir du champ arrière pour ouvrir le chemin au porteur de ballon (*ball carryer*). Elles sont souvent utilisées près de la zone des buts adverse, dans des situations de court gain (*short gain*). Elles peuvent aussi accoucher d'une passe, mais les options sont alors plus limitées compte tenu du personnel sur le terrain

---

QUELLES RÈGLES S'APPLIQUENT AUX SUBSTITUTIONS (*SUBSTITUTIONS*) DE JOUEURS À L'ATTAQUE ENTRE LES JEUX ?

Au football, le ballon est neutralisé (*dead ball*) entre le moment où un jeu se termine et celui où un autre commence (*snap*). Chaque équipe dispose alors d'une courte période de temps pour décider de son prochain jeu. L'équipe à l'attaque peut alors modifier sa formation en retirant certains joueurs pour les remplacer par d'autres. Par exemple, on pourra retirer un demi à l'attaque pour le remplacer par un ailier inséré ou espacé, de façon à faire une passe avant plutôt qu'un jeu au sol.

Entre deux essais (*downs*), le nombre de remplacements est illimité ; par contre, les joueurs de l'unité à l'attaque doivent être remplacés avant le caucus (*huddle*) ; cette règle permet à la défensive d'identifier les joueurs d'attaque qui seront sur le terrain pour le prochain essai et de procéder à ses propres substitutions de joueurs, pour être en mesure de contrer l'attaque.

Les joueurs doivent pénétrer sur la surface de jeu et sortir de celle-ci par les lignes de côté, entre les deux lignes de buts (*goal lines*).

Aucune substitution n'est autorisée pendant que le ballon est en jeu (*live ball*).

(deux ailiers, rapprochés, insérés ou espacés, au choix, au football de la NFL, trois aux footballs amateur et professionnel canadiens).

● **En I (*I formation*)**: les trois demis sont placés en droite ligne derrière le quart-arrière et le centre, le centre-arrière le plus près du quart; elle sert à masquer la direction que prendra le jeu, et peut aussi amener une feinte de remise (*hand off*) d'un côté, suivie de la véritable remise de l'autre.

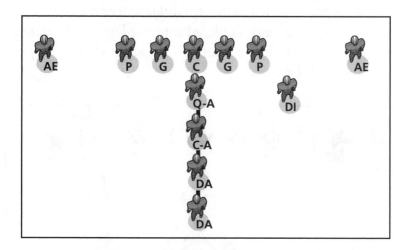

● **En T (*T formation*)**: les trois demis sont placés en parallèle l'un par rapport à l'autre, derrière le quart, le centre-arrière au milieu.

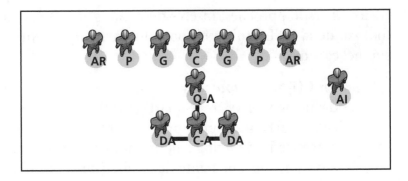

- **En Y** (*Wishbone*) : le centre-arrière est placé en ligne avec le centre et le quart, derrière celui-ci, et les demis en parallèle l'un avec l'autre, derrière le centre-arrière et dans un angle de 45° par rapport à celui-ci.

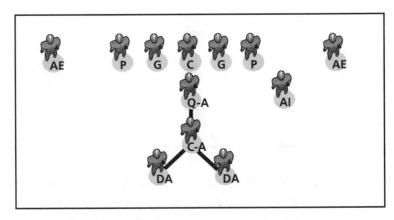

Les formations à deux demis (*two backs*). Ce sont les formations que l'on voit le plus fréquemment. Elles peuvent être utilisées pour la course aussi bien que pour la passe. Quand il y a course, un des deux demis (généralement le centre-arrière) bloque pour l'autre. Quand il y a passe, un des demis peut rester dans le champ arrière pour bloquer pendant que l'autre court un tracé. Si les deux restent dans le champ arrière pour bloquer, on parle alors de protection maximale (*maximum protection*).

- **En I, normale (*I normal*).** La formation en I normale comprend les deux demis placés en ligne derrière le quart (centre-arrière, puis demi), et un ailier rapproché ou des ailiers insérés ou espacés. Quand elle comporte un ailier rapproché, elle sert souvent pour la course, surtout dans la NFL. Rien n'empêche toutefois qu'elle serve pour la passe, et elle est idéale pour la feinte de course et passe (*play action pass*).

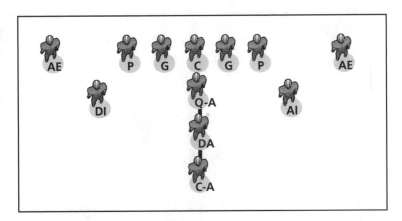

- **En I du côté fort ou du côté faible (*strong ou weak I formation*).** Cette formation comprend elle aussi deux demis, mais nécessairement un ailier rapproché (*tight end*). Les demis y sont placés derrière le quart comme dans la formation en I, mais le centre-arrière (*full back*) y est placé une verge à la gauche ou à la droite de la ligne formée par le centre, le quart-arrière et le demi, formant ainsi une sorte de triangle avec ces deux derniers. Si le centre-arrière est aligné du même côté que l'ailier rapproché, on qualifiera la formation de forte (*strong*) ; dans le cas contraire, elle s'appellera faible (*weak*). Le centre-arrière ou l'ailier rapproché peut être en mouvement (*movement*) avant la remise du ballon, pour confondre la défensive. Elle est le plus souvent utilisée pour effectuer ou feindre un jeu au sol, puisque le porteur de ballon disposera de deux bloqueurs du même côté si elle est forte, mais elle peut aussi servir pour la passe.

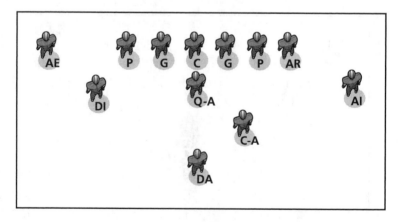

🖝 **Demis écartés (*split backs* ou *pro*).** La seule différence entre cette formation et les deux formations précédentes est que les deux demis y sont placés parallèlement l'un à l'autre et avec la ligne de mêlée (*line of scrimmage*), formant ainsi un triangle avec le quart. Elle est généralement utilisée pour les mêmes fins que la formation en I.

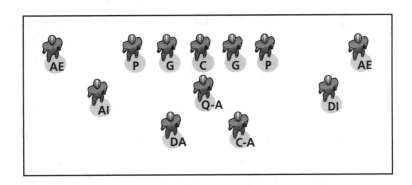

Les formations à un seul demi (*single back*). Dans ces formations, il n'y a qu'un demi (le plus souvent le demi à l'attaque) dans le champ arrière. Celui-ci peut se placer directement derrière le quart, en diagonale avec celui-ci ou côte à côte avec lui. En général, on y remplacera le centre-arrière par un ailier espacé (*wide*) ou un flanqueur (*slot back* ou *slot wide*). Elle est le plus souvent utilisée pour effectuer une passe, auquel cas le demi servira de bloqueur et de dépanneur (*safety valve*), mais peut aussi amener une course.

- **Massive (*big* ou *jumbo*).** La formation massive à un seul demi est dessinée pour le jeu au sol. Outre le demi, elle comporte deux ailiers rapprochés (*tight ends*), un de chaque côté de la ligne offensive. Il ne reste donc que deux (dans la NFL) ou trois (dans les ligues canadiennes) ailiers insérés ou espacés à ajouter.

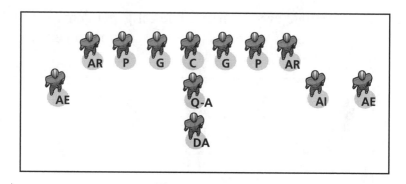

● **Ailiers rapprochés jumeaux (*twin TE*).** Cette formation ressemble à la formation massive (big), sauf que les deux ailiers rapprochés sont placés du même côté de la ligne. Elle vise à provoquer une surcharge (*overload*) de ce côté, et est donc souvent utilisée pour la course.

● **Un demi, triplets (*Ace, tripplets*).** Outre le demi qui se trouve dans le champ arrière, cette formation comporte trois ailiers du côté fort : un ailier rapproché (*tight end*), un ou deux ailiers ou demis insérés (*slot*) et un ailier espacé (*wide*), au choix. Si le demi court de ce côté, il aura trois bloqueurs devant lui. Si on passe, les trois ailiers pourront effectuer des tracés croisés (*crossing routes*) qui pourront confondre la défensive et permettre à un des trois de se démarquer.

● **À 4, 5 ou 6 ailiers (*4-5-6 wides*).** Cette formation est généralement utilisée dans les situations de passe, quand une équipe a besoin de plusieurs verges pour gagner un premier essai. Le demi qui se

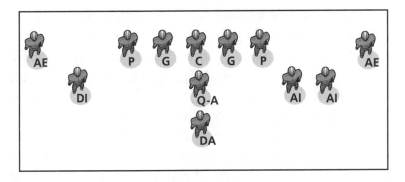

trouve dans le champ arrière sert généralement de bloqueur, et doit particulièrement surveiller le *blitz*. Les 4-5 (dans la NFL) ou 5-6 (au football canadien) ailiers sont répartis selon le jeu commandé.

● **Triplets (*tripplets*) ou quadruplets *(quads)*.** Cette formation requiert la présence de trois ou quatre ailiers espacés (*wide receivers*) ou insérés d'un côté ou de l'autre de la ligne. Elle vise à déséquilibrer la défensive et à permettre des combinaisons de tracés sophistiqués, souvent croisés (*crossing routes*).

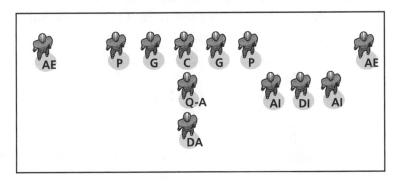

Les formations éventail ou **parapluie (*shotgun*).** Ce sont des formations dessinées pour la passe. Ici, le quart-arrière, au lieu de se placer directement derrière le centre, s'installe 5 verges derrière celui-ci. Le centre lui lance le ballon à cet endroit au lieu de le lui remettre en mains propres comme à l'habitude. Cela permet de gagner une seconde ou deux, puisque le quart n'a pas à effectuer ses pas de recul (*drop steps*) pour être en position de lancer le ballon. Ça permet aussi au quart de mieux voir le déploiement de la défensive ainsi que les tracés de ses joueurs. Le choix des autres joueurs à l'attaque est facultatif, mais comme cette formation est le plus souvent utilisée pour effectuer une passe, on utilisera peu de demis ou même aucun. On l'utilise notamment dans les dernières minutes d'une demie, avec l'attaque sans caucus (*hurry up offense*).

- 🏈 **Éventail à un demi (*shotgun, 1 RB*).** Un demi reste dans le champ arrière (généralement côte à côte avec le quart, à sa droite ou à sa gauche) pour bloquer, servir de dépanneur ou même courir, suite à un jeu d'attiré (*draw play*).

- 🏈 **Éventail à deux demis (*shotgun, 2 RB*).** Deux demis restent dans le champ arrière. On utilise cette formation quand on craint le *blitz* de la défensive.

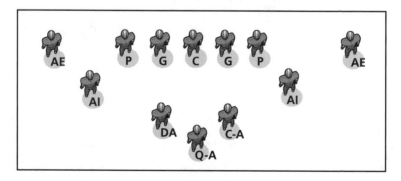

● **Éventail sans demi** (*shotgun, no RB*). C'est une formation risquée, car le quart est seul, sans protection autre que celle de sa ligne, dans le champ arrière : un défenseur y pénètre et c'est sa fête ; d'où la nécessité de désigner un receveur «*hot*». Elle a aussi le désavantage de laisser deviner ses intentions (la passe !) à la défensive. Par contre, elle permet d'aligner 5 (dans la NFL) ou 6 ailiers (au football canadien) éloignés ou insérés. De même, le quart peut profiter du déploiement axé sur la passe de la défensive pour courir : le jeu d'attiré du quart (*quarterback draw*) peut procurer un très long gain avec un quart rapide.

Les formations sans demi (*empty back field*). Il n'est pas nécessaire de placer le quart en position éventail (*shotgun*) pour ne placer aucun demi dans le champ arrière : on peut le faire quand il s'installe immédiatement derrière le centre et pour les mêmes raisons que ci-dessus.

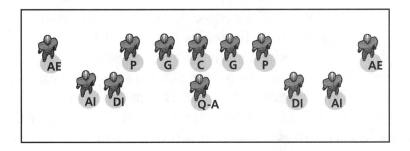

Les formations à plus de deux receveurs (*extra wides*) : un grand nombre des formations utilisées au football ne comportent que deux receveurs de passe, le plus souvent des ailiers espacés (*wide receivers*). Toutefois, rien n'interdit au coordonnateur à l'attaque de remplacer les autres joueurs (les demis et les ailiers rapprochés) par des receveurs de passe : il peut ainsi en aligner jusqu'à cinq au football américain et six au football canadien. Ceux-ci peuvent être placés n'importe où dans la formation à l'attaque à condition qu'il y ait sept joueurs sur la ligne d'engagement (cinq joueurs de ligne plus deux ailiers, rapprochés ou espacés). Plus la formation compte de receveurs, plus la probabilité qu'on assiste à un jeu de passe augmente.

Les formations rapprochées (*tight* ou *bunch*). Un autre des choix qui s'offre au coordonnateur à l'attaque est de rapprocher tous ses ailiers espacés et éloignés de la ligne d'attaque, offrant ainsi un front uni, sans brèche : ce sont les formations rapprochées. Elles servent à rendre la couverture défensive plus difficile et à permettre entre les ailiers des tracés croisés (*crossing routes*), difficiles à couvrir. Par contre, elles rapprochent tous les défenseurs du quart et du ballon, augmentant les risques de surprise.

Les formations ligne des buts (*goal line*). Quand l'attaque s'approche à moins de cinq verges de la zone des buts adverse, le coordonnateur à l'attaque peut choisir une formation comportant plusieurs « gros bonshommes » (jusqu'à neuf), qu'il place en un front uni (7 sur la ligne de mêlée, les autres un peu en retrait). Cette stratégie est généralement choisie pour un jeu au sol, mais rien n'empêche le quart de faire une passe à l'un des joueurs éligibles (les demis et ailiers plus tout joueur habituellement non éligible qui se sera désigné comme apte à recevoir une passe auprès de l'arbitre avant le jeu) ou d'utiliser la feinte de course et passe (*play action pass*).

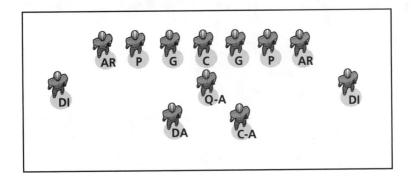

Légende des illustrations du chapitre 3

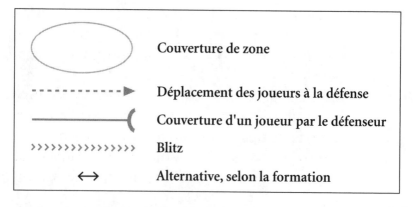

Couverture de zone

Déplacement des joueurs à la défense

Couverture d'un joueur par le défenseur

Blitz

Alternative, selon la formation

CHAPITRE 3

La défensive

....

On dit souvent que l'attaque fait le spectacle, mais que c'est la défensive qui gagne les championnats. C'est une des maximes les plus véridiques du football. L'ancien entraîneur et commentateur John Madden déclare même qu'une bonne défensive battra une bonne attaque, ce que nombre de matchs importants des dernières années ont démontré et ce que nombre de parieurs ont compris.

Une des caractéristiques de la défensive au football, c'est justement que c'est une unité qui est loin d'être passive : elle a son propre plan de match, initie des jeux et feint des formations pour confondre le quart-arrière et le coordonnateur à l'attaque de l'équipe adverse. En fait, malgré le fait qu'elle ne se réunisse pas toujours en caucus entre chaque jeu, elle est aussi active que la formation à l'attaque à laquelle elle fait face.

Avant même la remise (*snap*), les joueurs de l'unité défensive essayent de deviner le jeu prévu par l'attaque. Pour ce faire, ils tiennent compte de la formation offensive envoyée sur le terrain, de la situation dans laquelle se trouve l'attaque (a-t-elle besoin d'un gain court seulement ou se trouve-t-elle en difficulté?), des tendances (*patterns*) du coordonnateur à l'attaque adverse en fonction de l'essai, des substitutions, du nombre de verges à franchir, etc., des films qu'ils ont étudiés pendant la semaine, de l'attitude de chaque joueur adverse avant la remise (qui regarde qui? le quart regarde-t-il plus à gauche ou à droite? le demi a-t-il l'air tendu? etc.), et de petits signes subtils que détectent seuls les initiés, comme le poids que les joueurs de la ligne à l'attaque (*offensive linemen*) mettent sur la main qu'ils déposent au sol en prenant leur position (*stance*): en principe, si c'est une course, ils auront tendance à pencher plus fortement vers l'avant que pour une passe (mais encore là, ils peuvent feinter!).

Une fois le ballon en jeu, ils doivent réagir au jeu qui se développe en une fraction de seconde et éviter de se faire piéger par les ruses de l'attaque. Ainsi, les joueurs de ligne défensive (*defensive linemen*) devront éviter de tous se précipiter vers le quart-arrière lors d'une passe voilée (*screen*) ou de trop mordre sur une feinte de course vers l'extérieur, qui peut cacher un jeu renversé (*reverse*) ou un jeu à contre-pied (*counter*). En situation de jeu, chaque joueur défensif fait une lecture (*read*) sur un ou plusieurs joueurs offensifs. Par la suite, ils réagissent selon les règles établies dans le système défensif. Ces règles favorisent la cohésion entre les membres de l'unité défensive.

LES JOUEURS DE LA DÉFENSIVE ET LEURS FONCTIONS RESPECTIVES

Comme l'attaque, chacun des joueurs de la défensive a des fonctions spécifiques. Celle-ci regroupe trois catégories de joueurs: ceux de la ligne défensive, qu'ils soient plaqueurs (*defensive tacklers*) ou ailiers (*defensive ends*); les secondeurs (*linebackers*); et les demis défensifs (*defensive backs*), soit les demis de coin (*corner backs*) et les demis de sûreté (*safeties*).

La ligne défensive (*defensive line*)

Les joueurs, leurs fonctions et leurs tactiques. La ligne défensive comporte deux positions: le **plaqueur** (*defensive tackler*) et l'**ailier** (*defensive end*). Dans une formation 3-4 (voir plus bas), où il n'y a qu'un plaqueur défensif, on appelle celui-ci le **plaqueur au centre** (*nose tackle*). Bien qu'ils aient pour l'essentiel les mêmes fonctions (stopper la course et appliquer de la pression sur le quart-arrière en situation de passe), ils n'ont en général pas la même morphologie ni les mêmes qualités, et il existe entre eux une certaine division des tâches.

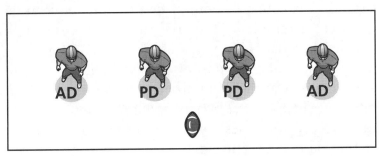

La ligne défensive.

POURQUOI EST-IL IMPORTANT D'AVOIR UNE BONNE LIGNE DÉFENSIVE (*DEFENSIVE LINE*) ?

Sans une bonne première ligne, une défensive ne pourra pas résister aux assauts de l'attaque adverse.

Ainsi, en situation de **jeu au sol** (*run*), les joueurs de ligne sont les premiers responsables de stopper la progression du demi, car ils défendent généralement les espaces (*gaps*) qui se trouvent entre les joueurs de la ligne offensive. S'ils ne sont pas capables de résister aux blocs de la ligne à l'attaque et même de pénétrer dans le champ arrière de temps à autre, le porteur de ballon se retrouvera derrière eux (*in the secondary*) après avoir atteint sa pleine vitesse et il n'aura plus que quelques joueurs à déjouer, parfois avec l'aide de bloqueurs, pour obtenir un premier essai (*first down*) ou atteindre la zone des buts. En ce sens, les joueurs de la ligne défensive protègent les secondeurs et les aident à limiter les gains du demi à l'attaque. Évidemment, le coordonnateur à l'attaque de l'autre équipe commandera alors une forte proportion de jeux de course, ce qui aura deux effets pernicieux : celui de fatiguer la défensive, soumise aux coups de boutoir de l'attaque ; et celui de la forcer à resserrer sa couverture pour contrer la course, se rendant ainsi vulnérable à la passe avant.

En situation de **passe** (*forward pass*), la ligne défensive doit absolument être capable de mettre de la pression (*apply pressure*) sur le quart-arrière, pour le forcer à précipiter ses passes et à faire des erreurs de lecture de la couverture défensive (*defensive coverage*), provoquant ainsi des ballons rabattus (*swatted balls*), des passes ratées et des interceptions. Si elle n'arrive pas à le faire, le quart pourra rejoindre ses receveurs presque à volonté, ce qui forcera les secondeurs et les demis défensifs à se concentrer davantage sur la passe, ouvrant ainsi la voie à la course. Or, une équipe à l'attaque qui obtient de longs gains avec régularité et gagne du terrain rapidement démoralise la défense.

Les **plaqueurs** (*defensive tacklers*) sont en général de gros bonshommes, presque aussi massifs que leurs vis-à-vis de la ligne à l'attaque. Ça s'explique notamment par le fait que leur fonction première est de stopper la course au centre : le poids est donc essentiel. Ils sont en général très forts, mais ont besoin de moins de vitesse que les ailiers et sont souvent moins athlétiques que ceux-ci.

Les **ailiers** (*defensive ends*) ont pour fonctions de stopper les courses et de contenir le jeu à l'intérieur, et de mettre de la pression sur le quart-arrière (*rush the quarter-back*) en situation de passe. Ils sont donc généralement moins lourds et plus rapides que les plaqueurs, mais plus grands, et doivent en outre posséder certaines qualités athlétiques spécifiques.

Qu'ils soient plaqueurs ou ailiers, les joueurs de la ligne défensive utilisent plusieurs **tactiques** pour atteindre leurs fins. Ils ne se contentent pas de se ruer vers le porteur de ballon ou vers le quart de façon mécanique. Ainsi, le **schéma défensif** (*defensive scheme*) sur un jeu donné peut prévoir qu'un joueur de ligne ne se précipite pas vers le quart en situation de passe, mais recule pour couvrir un attaquant ou une zone, par exemple lors du *blitz* d'un secondeur. De plus, les joueurs peuvent organiser entre eux des **combines** (*stunts*), c'est-à-dire échanger leur responsabilités, pour surprendre leurs vis-à-vis de la ligne à l'attaque :

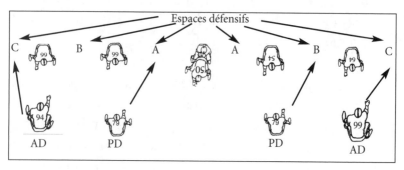

Combine (*stunt*) d'échange d'espace défensif à droite de la ligne

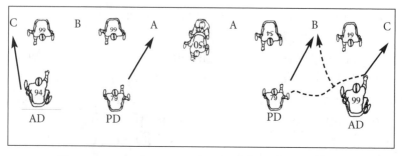

● ils peuvent **changer de position** (*switch*) entre eux ou se déplacer en parallèle ou même vers l'arrière avant la remise (*snap*), puisqu'il ne leur est pas interdit de bouger (*move*) comme les joueurs de la ligne à l'attaque ; il leur est toutefois interdit, sous peine de pénalité : 1) de se trouver dans la **zone neutre** (*neutral zone*) au moment où se fait la remise ; 2) de pénétrer dans le champ arrière et de toucher un joueur de l'attaque avant la remise; et 3) d'effectuer un mouvement brusque visant à provoquer un **faux départ** (*false start*) par un des joueurs de la ligne offensive (*encroachment*);

QU'EST-CE QUE LA ZONE NEUTRE (*NEUTRAL ZONE*)?

Aux footballs canadiens, universitaire comme professionnel, les joueurs de la défensive doivent se trouver à au moins une verge du ballon (dans le sens de la longueur du terrain) au moment où s'effectue la remise; au football de la NFL, la zone neutre, c'est le ballon!

🏈 ils peuvent aussi **intervertir leurs positions** (*switch positions*) au moment où le centre fait la remise, de façon à se trouver aux prises avec un autre joueur de la ligne offensive que celui qui était prévu, ce qui pourrait surprendre ceux-ci; cette tactique peut aussi viser à libérer (*free*) un joueur de ligne défensive, qui cherchera à profiter du fait que les autres joueurs sont engagés (*engaged*) pour effectuer une percée vers le champ arrière.

Les principales **qualités** des joueurs de ligne défensive (*defensive linemen*) sont:

🏈 la **force** (*strength*): pour résister à la poussée des joueurs de ligne offensive, qui sont souvent plus lourds qu'eux, aussi bien que pour écarter ceux-ci pour se rendre au quart, les joueurs de ligne défensive doivent être très forts ;

Force

la **vitesse** (*speed*) : comme mentionné plus haut, les plaqueurs (*tacklers*) n'ont pas besoin de beaucoup de vitesse, mais les ailiers (*ends*) doivent en posséder un peu plus, tant pour couvrir les courses vers l'extérieur que pour être capables de se ruer vers le quart-arrière (*rush the quarterback*) pour le rabattre (*sack*) dans le champ arrière (*in the backfield*) ;

Vitesse

la **vigilance** (*awareness*) : la conscience du jeu en développement et la capacité de comprendre ce que l'attaque est en train de faire sont essentiels à un joueur de ligne défensive, surtout dans les cas de feinte (*fake move*) et de jeu truqué (*tricky play*) ;

l'**agilité** (*agility*) : le joueur de ligne défensive doit être agile, particulièrement l'ailier (*end*), qui doit souvent se déplacer rapidement sur d'assez longues distances, tant dans le champ arrière (*in the backfield*) que vers les lignes de côté (*side lines*) et même dans la zone défendue par les secondeurs

Agilité

et les demis défensifs (*in the secondary*) pour réaliser un plaqué ;

● l'**habileté à plaquer** (*tackling ability*) : comme il est le premier responsable de stopper la course, le joueur de ligne défensive doit être un excellent plaqueur, ce qui implique qu'il a généralement des bras et des mains très forts.

Habileté à
plaquer

La ligne défensive et la course. Quand il se défend contre la **course au centre** (*inside run*), le joueur de ligne défensive doit résister au bloc de son ou de ses vis-à-vis, et chercher à demeurer dans le couloir (*lane*) qui lui est assigné pour empêcher la création d'une brèche (*gap*). Il doit aussi chercher à se défaire de ce bloc au bon moment pour plaquer (*tackle*) le porteur de ballon (*ball carryer*) quand celui-ci passe à sa proximité.

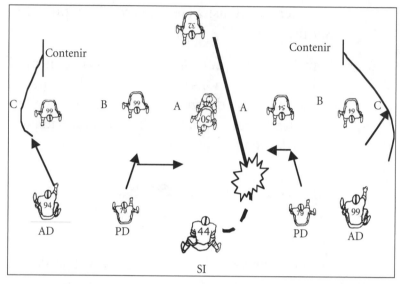

Le rôle des joueurs de la ligne défensive sur une course au centre.

S'il s'agit d'une **course hors plaqueurs** (*off tacklers*), il doit se déplacer vers l'endroit où se dirige le porteur de ballon en évitant les bloqueurs et en résistant à la tentation de **poursuite exagérée** (*overpursuing*), ce qui pourrait permettre au demi offensif d'effectuer un changement de direction brusque (*cutback*) pour se précipiter dans l'espace qu'il vient de laisser libre.

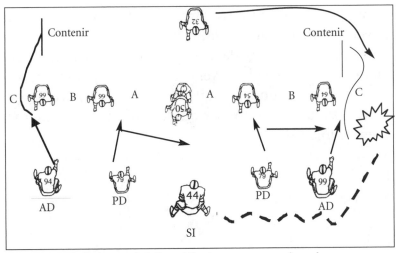

Le rôle des joueurs de la ligne défensive sur une course hors plaqueurs.

La ligne défensive et la passe. Contre la passe, la tâche des joueurs de ligne défensive est d'abord de pousser, déplacer ou jeter par terre les joueurs de ligne à l'attaque pour se rendre au quart-arrière (*rush the quarterback*) avant que celui-ci ne décoche sa passe et le rabattre derrière la ligne de mêlée (*sack*). S'ils ne réussissent pas à se rendre au quart, ils doivent lever les bras et sauter le plus haut qu'ils peuvent au moment où celui-ci décoche sa passe pour la rabattre (*swat down*) ou la faire dévier (*tip*). Ils doivent aussi s'assurer, collectivement, que leurs efforts vers le quart ne les ont pas trop déportés sur les côtés ou vers l'arrière de la pochette protectrice (*pocket*) dans laquelle celui-ci se trouve en principe, lui ouvrant ainsi un espace où il pourrait courir et gagner des verges.

Ils peuvent aussi être appelés à plaquer le joueur qui a reçu une passe avant s'il est à leur portée, comme un demi à l'attaque qui se trouve dans le flanc (*in the flat*), par exemple. Ils doivent aussi être attentifs aux jeux truqués ainsi qu'au jeu d'attiré (*draw* ou *delay*). Une fois que la passe a franchi la ligne de mêlée (*line of scrimmage*), ils sont en mode poursuite: ils doivent courir vers le porteur de ballon en adoptant un bon angle de poursuite (*pursuit angle*) dans l'espoir de le rattraper ou de profiter d'un retournement (*turnover*).

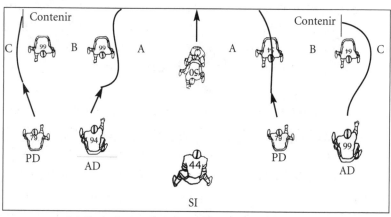

Le rôle des joueurs de la ligne défensive sur un jeu de passe.

Quelques-unes des **techniques** utilisées par les joueurs de la défensive pour se ruer vers le quart-arrière (*rush the quarterback*):

- la **ruée en vitesse** (*speed rush*): elle est le plus souvent le fait de l'ailier; celui-ci entame une course en quart de cercle dès la remise du ballon et cherche à déborder le **plaqueur** (*tackler*) qui a pour tâche de le bloquer; avec un ailier très rapide, elle permettra de temps à autre de réussir le **rabattement du quart** (*sack*); par contre, elle peut aussi déporter l'ailier trop loin dans le champ arrière et permettre un long gain par la course, du quart ou du demi, sur un jeu d'attiré (*draw*) par exemple ;

- la **ruée en puissance** (*bull rush*) : les joueurs de la ligne défensive peuvent se concerter pour lancer, sur un jeu précis, une ruée toute en puissance vers le champ ;

- le **mouvement du nageur** (*swim move*) : c'est une technique fréquemment utilisée ; le joueur de ligne défensive pose sa main extérieure sur l'arrière de l'épaule du joueur de ligne à l'attaque et pousse celle-ci vers la ligne de mêlée en faisant pivoter le joueur, puis passe son autre bras par-dessus sa tête et son épaule à la manière d'un nageur de *crawl*, en même temps que sa jambe intérieure, profitant du fait qu'il est un peu déséquilibré ; effectué de temps à autre, avec l'effet de surprise, c'est un mouvement très efficace, qui permet de se retrouver dans le champ arrière en moins de deux ;

- l'**arraché** (*rip move*) : le défenseur applique un coup sec au niveau du coude de son vis-à-vis, avec sa main ou son avant-bras, puis utilise son bras et son épaule pour le faire pivoter et passer derrière lui ;

- le **balancier** (*squeeze*) : le défenseur se penche brusquement du côté où se trouve le joueur de ligne à l'attaque, puis avec son bras et son épaule qu'il applique sous l'avant-bras de celui-ci, le déséquilibre.

Les secondeurs (*linebackers*)

Les secondeurs (*linebackers*) ont une tâche mixte : ils sont en effet chargés de contrer aussi bien la course que la passe, et doivent à ce titre être vigilants sur chaque jeu, pour ne pas être pris hors position (*out of position*). Ce sont des joueurs en général assez grands, mais surtout costauds, car ils doivent contrer les efforts des demis à l'attaque et des ailiers rapprochés (*tight ends*), que ceux-ci agissent à titre de bloqueurs ou qu'ils portent ou reçoivent le ballon. Ils sont en général plus rapides que les joueurs de ligne, mais moins que les demis et les ailiers insérés ou espacés.

En principe, ils surveillent d'abord la course, qu'elle soit effectuée par le demi, le centre-arrière ou le quart, et cherchent à refermer les brèches (*gaps*) que les joueurs de la ligne à l'attaque ont pu faire dans la ligne défensive. Mais ils ont aussi des responsabilités contre la passe, chacun d'entre eux se voyant assigner la fonction de surveiller un des demis ou un ailier rapproché, ou une zone courte (nommées crochet [*hook*], boucle [*curl*] ou flanc [*flat*]) selon la formation que l'attaque a envoyée sur le terrain. On leur demande aussi souvent de **blitzer**, c'est-à-dire de foncer vers le champ arrière (*backfield*) : contre une course (*run blitz*), pour plaquer le porteur de ballon avant qu'il ait franchi la ligne et pris sa vitesse de croisière ; ou contre une passe (*pass blitz*), pour rabattre (*sack*) le quart. Le *blitz* peut être déclenché dès la remise (*snap*) du ballon, ou être **à retardement** (*delayed blitz*).

Si la défensive utilise comme formation de base une 4-3 (voir plus bas), comme c'est souvent le cas, il y aura quatre joueurs de ligne défensive et trois secondeurs : deux

QU'EST-CE QU'UN ESPION (*SPY*)?

Quand une unité offensive possède un quart-arrière particulièrement rapide, qui aime courir dans n'importe quelle situation et qui est donc très menaçant, le coordonnateur à la défensive (*defensive coordinator*) peut assigner à un secondeur le rôle d'espion (*spy*). Celui-ci doit alors rester derrière la ligne d'engagement et suivre le quart dans ses déplacements latéraux, pour être en mesure de le plaquer s'il décide de courir. Cette tactique comporte toutefois un désavantage : l'espion est en quelque sorte empêché d'assumer ses tâches habituelles, surtout en couverture de passe, ce qui peut libérer (*free*) un demi à l'attaque ou un ailier rapproché.

secondeurs extérieurs (*outside linebackers*) et un secondeur intérieur (*inside linebacker*). Si la défensive de base est une 3-4 (voir plus bas), il y aura trois joueurs de ligne et quatre secondeurs, deux intérieurs et deux extérieurs. En général, à chaque fois qu'on ajoute un demi défensif à la formation sur le terrain, on retranche un secondeur (voir plus bas, les formations).

Les principales **qualités** des secondeurs (*linebackers*) :

- 🖝 la **vitesse** (*speed*) : le secondeur doit avoir une certaine rapidité, car il est chargé de couvrir aussi bien la course des demis que les passes faites à ceux-ci et aux ailiers insérés ou rapprochés, sans compter qu'on peut aussi leur demander de *blitzer* ;

Vitesse

● la **force** (*strength*) : moins fort que les joueurs de ligne, le secondeur est quand même un des hommes forts sur le terrain, puisqu'il doit pouvoir affronter les joueurs de la ligne à l'attaque, résister aux blocs des demis et des ailiers rapprochés, qui en général ne sont pas des manchots, et plaquer des porteurs de ballon qui sont en général rapides et costauds ;

Force

● l'**habileté à plaquer** (*tackling ability*) : le secondeur est le maître plaqueur sur le terrain, puisqu'il doit plaquer aussi bien les porteurs de ballon que les ailiers dans toutes sortes de situations, aussi bien de face que de côté ou par derrière ; un secondeur qui rate des plaqués fait très mal à son équipe, puisqu'il ne reste que les demis défensifs, moins costauds, derrière lui ;

Plaquer

● des **mains** acceptables (*hands*) : on ne demande pas au secondeur d'avoir des mains d'artiste, mais il doit pouvoir capter un ballon qui est lancé dans sa direction dans des circonstances normales, pour réussir une interception de temps à autre ;

Mains

● l'**agilité** (*agility*) : le secondeur doit être un joueur agile, capable d'effectuer des mouvements brusques, de changer de direction à tout moment, de sauter pour faire dévier ou capter une passe, de se défaire d'un bloc et d'accélérer après un contact pour plaquer le porteur de ballon ;

Agilité

- la **vigilance** (*awareness*) : comme il a des fonctions mixtes (*dual responsibilities*), le secondeur doit être vigilant et comprendre rapidement s'il a affaire à une course, à une passe, à un jeu truqué, etc. ; ce sont d'ailleurs souvent les secondeurs qui crient, dès que le jeu se développe, à l'intention de leurs coéquipiers pour leur indiquer ce qui se passe : course (*run*) ; passe avant (*pass*) ; passe voilée (*screen*) ; jeu renversé (*reverse*) ; etc.

- le **leadership** : enfin, c'est en général un des secondeurs qui commande les jeux dans le caucus défensif et qui appelle ses coéquipiers à faire les ajustements selon les formations avant la remise.

Les fonctions des secondeurs

Le secondeur intérieur (*inside linebacker*). Le secondeur intérieur (il peut y en avoir deux si la formation défensive est une 3-4) a des responsabilités mixtes (*dual responsibilities*) : sa responsabilité primaire est le jeu au sol, mais il a aussi des responsabilités contre la passe. Il doit lire la formation offensive avant la remise, s'ajuster et réagir selon la façon dont le jeu se développe. La course au centre (*inside* *run*) est son domaine de prédilection. Il est d'ailleurs généralement le joueur qui a le plus de plaqués dans son équipe à la fin de la saison. Pour cette raison, il est généralement un peu plus costaud, mais un peu moins rapide que les secondeurs extérieurs. En couverture de passe **homme pour homme** (*man to man*), il est souvent responsable de couvrir le demi offensif (*half back*) à partir du moment où celui-ci sort du champ arrière. En défensive de **zone** (voir plus bas), il couvre le plus souvent celle qui se trouve au centre du terrain, à quelques verges derrière la ligne défensive. Il est aussi souvent le capitaine de son équipe en défensive. Sur le terrain on lui donne le surnom de Mike.

QUELS SURNOMS LES JOUEURS DE LA DÉFENSIVE SE DONNENT-ILS ENTRE EUX ?

Pour se simplifier la vie quand ils s'attribuent des tâches sur le terrain entre deux jeux, les joueurs ont pris l'habitude de se désigner par un court surnom selon la position qu'ils occupent. Ainsi, le secondeur intérieur sera Mike, le secondeur extérieur du côté fort, Sam et le secondeur extérieur du côté faible, Will.

Les secondeurs extérieurs (*outside linebackers*). Les secondeurs extérieurs ont des responsabilités de même nature que le secondeur intérieur. Évidemment, ils sont aux premières loges pour une course hors plaqueurs ou un balayage. Règle générale, ils sont plus rapides, mais moins costauds que le secondeur intérieur. En couverture de

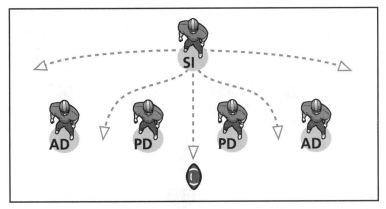

Les responsabilités du secondeur intérieur contre la course .

passe homme pour homme, ils sont souvent chargés de couvrir le centre-arrière (*full back*), le demi inséré (*slot back*) ou l'ailier rapproché (*tight end*), selon le côté du terrain qu'ils doivent défendre (côté fort ou côté faible). En zone, ils peuvent défendre celles qui se trouvent à gauche et à droite derrière la ligne de mêlée, mais peuvent aussi se voir attribuer les flancs (*flats*) ou même une zone plus profonde dans la défensive (*in the secondary*).

La tertiaire (*secondary*)

La tertiaire (*secondary*) comporte deux types de joueurs, regroupés sous le nom de demis défensifs (*defensive backs*) : les **demis de coin** (*corner backs*), chargés d'abord de la surveillance des ailiers espacés ou insérés (sans compter leurs responsabilités dans une couverture de zone), et les **demis de sûreté** ou **maraudeurs** (*safeties*), chargés grosso modo de venir en soutien aux premiers et aux secondeurs. La première responsabilité des joueurs de la tertiaire est la

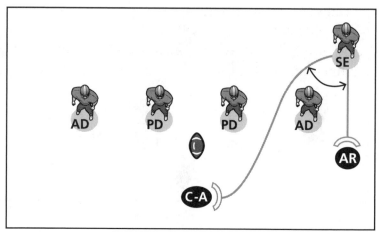

Les responsabilités du secondeur extérieur (côté fort) contre la passe en défensive homme pour homme.

couverture contre la passe (*pass coverage*), mais ils doivent aussi surveiller la course. En général, ils ne sont pas très grands ni très costauds, la rapidité et l'agilité étant des qualités essentielles pour eux; les demis de sûreté, particulièrement les **maraudeurs** (*strong safeties*), sont généralement plus costauds et plus forts que les **demis de coin** (*corners*), parce qu'ils ont plus de responsabilités contre la course.

Il faut aussi savoir que tous les demis défensifs, demis de coin comme de sûreté, peuvent être appelés à **blitzer** sur un jeu en particulier. C'est une stratégie dangereuse, car elle peut laisser un joueur de l'attaque à découvert (*free*) pendant quelques instants, ce dont un bon quart saura profiter. C'est par contre une stratégie qui peut être payante, car elle pourra surprendre le quart, en particulier quand le joueur qui *blitze* arrive dans son dos (*from the blind side*), ce qui peut provoquer un coûteux échappé!

Dans les formations de base (4-3 ou 3-4; voir plus bas), il y a en général quatre demis défensifs au football de la NFL, et cinq aux footballs canadiens, universitaire comme professionnel (on ajoute généralement un demi de sûreté).

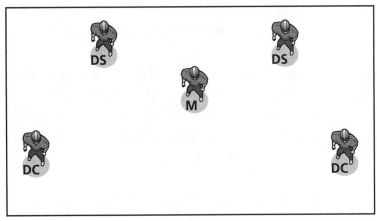

La tertiaire dans une défensive 4-3 au football canadien.

Les **qualités** des demis défensifs (*defensive backs*) :

● la **vitesse** (*speed*) : les demis défensifs, particulièrement les **demis de coin** (*corners*), doivent être aussi rapides que les ailiers offensifs (*wide* et *slot receivers*) auxquels ils font face; en d'autres mots, ils doivent faire partie des joueurs les plus rapides sur le terrain, car ils doivent pouvoir suivre les ailiers pas à pas; réussir à faire couvrir un ailier très rapide par un demi défensif qui l'est moins est un des déséquilibres (*mismatches*) dont raffolent les coordonnateurs à l'offensive;

Vitesse

0   7,5   10

● l'**accélération** (*acceleration*) : ils doivent aussi avoir une accélération fulgurante, pour être en mesure de rattraper un ailier qui aurait pris un pas d'avance sur eux ou qui les aurait semés après une feinte particulièrement habile ;

Accélération
0   7,5   10

● l'**impulsion** (*jumping ability*) : une des qualités recherchées chez les demis défensifs est la capacité de sauter pour couper ou même intercepter une passe devant des ailiers qui sont souvent plus grands qu'eux ;

Impulsion
0   7,5   10

● l'**habileté à plaquer** (*tackling ability*) : comme ils sont appelés à réaliser des plaqués moins souvent que les joueurs de ligne et les secondeurs, cette habileté est moins développée chez eux, d'autant qu'ils sont moins lourds et moins forts que ceux-ci ; comme il joue au centre et qu'il est le premier demi défensif appelé en renfort contre la course, le **maraudeur** (*strong safety*) est généralement un meilleur plaqueur que ses collègues de la tertiaire (il est aussi souvent le plus costaud, son physique pouvant s'apparenter à celui d'un secondeur) ;

Plaquer
0   4,5   9 10

- de **bonnes mains** (*good hands*) : une des blagues les plus souvent entendues au football concerne les mains des demis défensifs, dont on dit volontiers qu'ils seraient receveurs de passe s'ils en avaient de meilleures ; bien qu'injuste, cette boutade repose sur une réalité, qui veut qu'un demi défensif ait de moins bonnes mains que le receveur qu'il couvre, sauf exception ; par contre, il faut reconnaître que les demis défensifs ont en général les meilleures mains de la brigade défensive ;

Mains

- la **vigilance** (*awareness*) : qualité essentielle à tout joueur de l'unité défensive, la vigilance est encore plus importante pour le demi défensif, puisqu'il est le dernier joueur entre le porteur de ballon et sa zone de buts ; trop mordre sur une feinte ou un jeu truqué, mal lire le jeu en développement, couvrir le mauvais joueur, autant d'erreurs qui se transforment souvent en points pour l'autre équipe et qui donnent des cheveux gris à l'entraîneur ; un demi défensif qui est trop souvent brûlé par un receveur de passe se méritera le surnom de « rôtie » (*toast*).

Les **fonctions** de chacun des demis défensifs (*defensive backs*) :

Les **demis de coin** (*corner backs*). Les demis de coin se placent en général de chaque côté de la ligne défensive, en face des ailiers insérés ou espacés qu'ils sont en charge de

169

couvrir. Leur position précise dépend donc de la formation à l'attaque qui est sur le terrain (voir le chapitre 2): ils se retrouvent le plus souvent de part et d'autre de la ligne défensive, le long des lignes de côté, mais peuvent aussi bien être très rapprochés de la ligne défensive, se placer tous du même côté du terrain, etc. Ils peuvent se placer à la limite de la zone neutre (*neutral zone*), ou encore à une, trois, cinq verges ou même plus de celle-ci, selon le schéma défensif (*defensive scheme*) adopté.

Si la défensive est en **couverture homme pour homme** (*man to man*), le demi de coin suivra (en parallèle), l'ailier de l'équipe à l'attaque qu'il est chargé de couvrir dans ses déplacements (*shift* ou *motion*) dans le champ arrière. Dès que celui-ci aura franchi la ligne de mêlée (*line of scrimmage*), le demi de coin pourra entrer en contact physique avec lui, à moins d'une verge de celle-ci au football canadien et à moins de 5 dans la NFL: ce contact sert à ralentir l'ailier, à modifier son rythme, à nuire à sa coordination avec le quart-arrière, à briser son tracé (*route*) si possible, le temps que les joueurs qui poursuivent le quart-arrière (*rush the quarterback*) se rapprochent de celui-ci. Par la suite, le demi devra suivre l'ailier (le receveur) dans tous ses déplacements jusqu'à ce qu'il sache quel jeu se déroule. Si c'est une passe à l'ailier qu'il couvre, il doit empêcher qu'elle soit complétée par tous les moyens légaux et, sinon, plaquer celui-ci, le pousser en touche ou lui faire échapper le ballon dès qu'il en a la possession. Si c'est un jeu au sol ou une passe à un autre ailier que celui qu'il couvre, le demi doit se défaire le plus rapidement possible du bloc de celui-ci et se ruer vers le porteur de ballon pour le plaquer.

Si la défensive est en **couverture de zone** (*zone*), le demi (*corner*) se déplacera vers l'endroit qui lui a été désigné pour couvrir la zone qui lui a été assignée, à moins que les mouvements dans le champ arrière n'entraînent une telle disproportion des forces d'un côté du terrain que son capitaine n'appelle un changement de jeu (*defensive audible*).

Les **demis de sûreté** (*safeties*). En principe, les demis de sûreté, comme leur nom l'indique, ne sont assignés à la couverture d'aucun joueur de l'unité offensive en particulier. De temps à autre, dans un cas de surcharge (*overload*) offensive ou de *blitz*, par exemple, ils pourront se voir attribuer la couverture d'un joueur en particulier. La raison en est que, compte tenu du fait que les quatre joueurs de la ligne défensive sont aux prises avec six joueurs de l'attaque (les cinq joueurs de ligne plus le quart-arrière), la défensive compte donc deux joueurs de plus que les demis et les ailiers : ce sont eux. Ils se trouvent par conséquent à venir en soutien aux autres joueurs défensifs. Contre la course, ils appuient les secondeurs. Contre la passe, on les place soit en couverture de zone, généralement en zone profonde pour empêcher la longue passe, soit en couverture double (*double coverage*) sur les joueurs les plus dangereux de l'autre équipe. Le **maraudeur** (*strong safety*) prend place du côté fort de l'attaque, un peu en retrait des secondeurs. Le ou les demis de sûreté (*free safety*), quant à eux, s'installent un peu plus profondément en zone défensive (*in the secondary*).

Lorsqu'un ballon est lancé dans sa direction, le demi défensif doit penser d'abord à faire avorter la passe, le plus souvent en faisant dévier (*tip*) ou en rabattant (*swap*) le ballon. C'est ce qu'on lui apprend à faire. Il peut néanmoins penser « interception » à condition que le risque soit calculé et que son geste n'aboutisse pas à un long gain de l'adversaire s'il échoue. Certains demis de coin sont particulièrement habiles à deviner le jeu et à se placer entre le receveur et le ballon, sur les passes dirigées vers les lignes de côté en particulier. En général, les demis défensifs, et plus spécifiquement les demis de coin, sont les joueurs de la défensive qui récoltent le plus d'interceptions.

LES DIVERSES FORMATIONS EN DÉFENSIVE

Faisant appel au même nombre de joueurs que l'attaque (12 au football canadien et 11 au football américain), la défensive peut être structurée de diverses façons, selon la philosophie de l'entraîneur ou la physionomie de l'attaque adverse. Le coordonnateur à la défensive (*defensive coordinator*) doit veiller à ce que son unité ait toujours le personnel adéquat sur le terrain, compte tenu des joueurs que l'attaque y envoie : il doit donc être très attentif aux substitutions effectuées par l'attaque adverse entre chaque jeu.

Règle générale, plus l'unité offensive aura de receveurs de passe sur le terrain, plus la formation défensive sera légère et rapide, composée donc davantage de demis que de secondeurs. L'unité défensive de base compte en principe trois secondeurs et cinq demis (quatre au football américain), mais une formation contre la passe pourra compter jusqu'à sept ou huit demis.

Défensive de zone (*zone*) vs. défensive homme pour homme (*man to man*). Une des choses qu'il est primordial

La défensive

QUAND ET SELON QUELLES RÈGLES EFFECTUE-T-ON LES SUBSTITUTIONS À LA DÉFENSIVE?

Pour avoir une défensive efficace à chaque jeu, une équipe doit ajuster son personnel sur le terrain à la formation que présente l'unité à l'attaque adverse. Pour qu'elle soit en mesure de le faire de manière efficace et avant la mise au jeu du ballon, il est prescrit que l'attaque doit effectuer ses changements de personnel **avant son caucus**. Ce qui permet aux entraîneurs de la défensive de désigner, après avoir pris connaissance des changements à l'unité offensive, les joueurs adaptés à la situation: joueurs de ligne, secondeurs ou demis défensifs. Comme pour l'attaque, aucune règle ne limite le nombre de joueurs que l'on peut changer entre deux jeux. Le coordonnateur à la défensive peut d'ailleurs effectuer des rotations de joueurs à certaines positions (surtout sur la ligne défensive), dans le but de les maintenir les plus reposés (*fresh*) possible. La seule contrainte est que le changement ne peut pas se faire quand le ballon est en jeu (*live ball*). Pour cette raison, une unité à l'attaque pourra utiliser à l'occasion une **offensive sans caucus** (*no huddle*), ce qui réduira grandement la possibilité pour la défensive d'effectuer des permutations, faute de temps (les équipes peuvent effectuer des substitutions même lors d'une séquence où l'attaque n'utilise pas de caucus, mais elles doivent être effectuées avant que l'arbitre ait mis le ballon au jeu et que les joueurs soient installés; la préparation et l'étude préalable [*scouting*] de l'équipe adverse sont très importants dans une telle situation).

de comprendre pour bien apprécier le jeu de l'unité défensive, c'est de savoir si elle est en défensive de zone ou en défensive homme pour homme pour contrer la passe avant (*forward pass*). Règle générale, cette consigne ne s'applique qu'aux secondeurs (*linebackers*) et aux demis défensifs (*defensive backs*), mais un joueur de ligne défensive qui se retire en couverture au lieu de foncer vers le champ arrière pourra avoir à s'y conformer (situation de *blitz* de zone).

Le coordonnateur à la défensive peut utiliser n'importe laquelle des deux couvertures sur n'importe quel jeu, et même créer des défensives mixtes, où certains joueurs seront en couverture de zone et certains autres en couverture homme pour homme. C'est une question de stratégie, de flair et de ruse, qui tient compte de la personnalité de l'autre équipe, des qualités de son quart (certains ont de la difficulté, par exemple, à lire les défensives de zone) et du pointage (une équipe qui a une bonne avance pourra avoir tendance à jouer en zone en fin de match).

Lorsqu'une unité défensive est en **couverture homme pour homme** (*man coverage*), elle assigne la couverture de chacun des joueurs de l'attaque qui peut recevoir une passe avant à un défenseur en particulier, qui le suit dans tous ses déplacements jusqu'à ce que le ballon soit mort (*dead ball*) ou que le défenseur soit assuré qu'il s'agit d'un jeu au sol ou que c'est un autre joueur qui recevra la passe : les demis de coin couvrent alors les ailiers espacés ou insérés et les secondeurs s'occupent des demis à l'attaque et des ailiers insérés ou rapprochés. Les demis de sûreté (*safeties*), qui en principe ne surveillent aucun joueur en particulier, peuvent alors se voir assigner la tâche de se diriger vers l'endroit où se dirige la passe quand celle-ci est

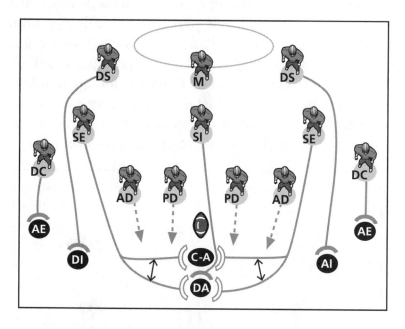

décochée ou encore de réaliser une couverture double (*double coverage*) avec un autre demi sur un joueur adverse particulièrement dangereux.

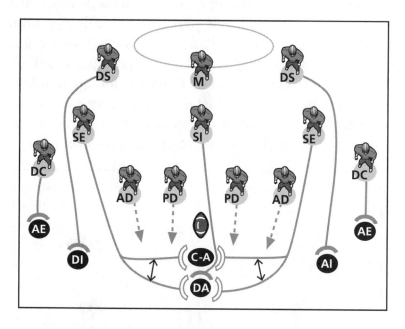

Une défensive 4-3, homme pour homme, cover 1 *(maraudeur libre).*

En **défensive de zone** (*zone coverage*), chacun des secondeurs (*linebackers*) et des demis défensifs (*defensive backs*) se voit assigner une zone à couvrir dans le territoire défensif (*in the secondary*). En principe, le défenseur se déplace vers la zone assignée jusqu'à ce qu'il soit certain du jeu que l'autre équipe met en branle : si c'est un jeu au sol (*ground play*), il doit abandonner la couverture de zone et courir vers l'endroit où il pense pouvoir arrêter la progression du porteur (*ball carrier*) aussitôt que celui-ci a le ballon en sa possession; si c'est une passe (*forward pass*), il garde les yeux sur le quart-arrière aussi longtemps que possible et ne quitte la zone qui est sous sa responsabilité que quand le ballon quitte les mains de ce dernier ou qu'il est certain d'avoir percé ses intentions à jour. C'est une question de vigilance et de flair. La zone que chaque joueur doit protéger est déterminée par le jeu qui est décidé et dépend autant de l'imagination du coordonnateur que des qualités athlétiques de chacun des joueurs (on demande rarement à un secondeur de protéger une zone profondément en territoire défensif, par exemple).

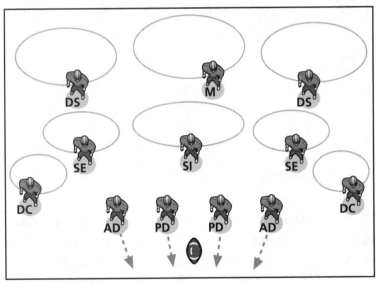

Une couverture de zone classique (zone cover 3), formation 4-3.

Comme toutes les combinaisons sont possibles en défensive, le coordonnateur à la défensive peut utiliser des **défensives mixtes** (*combo defenses*), dans lesquelles certains joueurs jouent en couverture homme pour homme et d'autres en couverture de zone. Par exemple, il peut envoyer tous ses secondeurs en *blitz* et faire reculer les joueurs de ligne en défensive de zone ; ou assigner seulement les demis de sûreté (*safeties*) à une couverture de zone et placer les demis de coin et les secondeurs en couverture homme pour homme ; ou encore attribuer une couverture homme pour homme à un seul défenseur (il pourra par exemple suivre un attaquant en mouvement dans le champ arrière pour laisser croire que toute la défensive est en couverture homme pour homme et ainsi confondre le quart) tandis que le reste des secondeurs et des demis sont en zone. Il s'agit autant de mélanger les couvertures (*mix the defenses*) pour que l'autre équipe ne sache jamais à quoi s'en tenir que de tenir compte de l'évolution du match et du pointage.

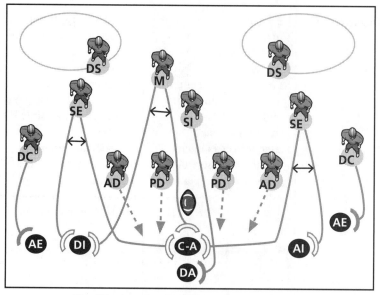

Une défensive mixte, homme pour homme et cover 2.

Quels sont les avantages et inconvénients respectifs de la défensive homme pour homme (*man to man*) et de la défensive de zone (*zone*) ?

	Défensive homme pour homme (*man to man*)	Défensive de zone (*zone*)
Avantages	aucun joueur de l'attaque ne se retrouvera sans couverture (*free*) dans la zone défensive (*in the secondary*) ; possibilité de mettre deux joueurs en couverture (*double team*) sur un seul receveur.	les joueurs de la défensive ont les yeux tournés vers le quart-arrière ; peut être plus difficile à lire pour le quart-arrière ; il y a donc plus d'interceptions ; la communication entre les défenseurs est plus facile pendant le jeu.
Inconvénients	les défenseurs tourneront souvent le dos au quart-arrière, ne voyant pas le jeu se développer ; ils peuvent échapper un joueur suite à une feinte réussie ; le coordonnateur à l'attaque pourra mieux identifier les déséquilibres (*mismatches*) à exploiter.	il y a des endroits non protégés (*soft spots*) entre chacun des défenseurs ; un bon receveur trouvera facilement les endroits non protégés pour s'installer et attendre la passe (*sit in the zone*) ; demande une grande discipline de la part des défenseurs, qui doivent rester dans la zone assignée jusqu'au dernier moment.

La formation 4-3. Règle générale, la formation défensive la plus utilisée est la formation 4-3 : c'est la formation de base, celle qu'on envoie sur le terrain quand la situation n'indique rien de spécial et que la formation à l'attaque ne comporte pas plus de deux (dans la NFL) ou trois (au football canadien) ailiers espacés et insérés. En principe, elle sert surtout lors des premiers essais (*first downs*) et quand le coordonnateur à la défensive estime qu'il y a de bonnes chances que l'attaque utilise le jeu au sol.

Cette formation est composée de quatre joueurs de ligne (*defensive linemen*), trois secondeurs (*linebackers*) et quatre (au football américain) ou cinq demis défensifs (au football canadien et universitaire). Ils peuvent être disposés sur le terrain au bon vouloir du coordonnateur à la

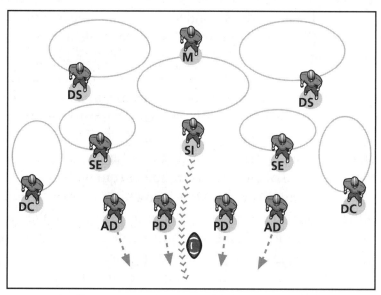

*Une défensive de zone avec blitz du secondeur intérieur et cover 2,
dans une formation 4-3.*

défensive à condition de respecter la règle de la zone neutre (*neutral zone*). Ils peuvent aussi bien sûr jouer en zone ou en couverture homme pour homme. **La formation 3-4.** C'est une variante de la formation 4-3, sauf qu'on n'utilise que trois joueurs de ligne et quatre secondeurs, le nombre de demis restant le même. Le choix entre la défensive 4-3 et la 3-4 est une question de philosophie de la défensive ou encore une affaire de qualité du personnel qu'on a sous la main. Elle demande un bloqueur défensif (*nose tackle*) très massif et excellent contre la course, puisqu'il est seul au centre de la ligne, entre deux ailiers.

Elle n'apporte pas d'avantage significatif contre le jeu au sol, mais ajoute de la vitesse et de la flexibilité à la défensive. Par contre, elle rend la passe avant, particulièrement la passe courte (moins de 10 verges), plus difficile à compléter à cause de la vitesse des secondeurs et de leur répartition sur le terrain. De plus, elle permet à la défensive de mieux masquer ses intentions. Elle est aussi plus difficile à lire pour le quart et à bloquer pour les joueurs de ligne offensive (*offensive linemen*), puisque quatre secondeurs, et non plus seulement trois, peuvent *blitzer*. Sans compter qu'un ou même deux secondeurs peuvent venir s'installer sur la ligne défensive à la dernière seconde pour rendre la tâche des joueurs de ligne offensive plus complexe (qui bloque qui?).

Les formations contre la passe (*nickel*; *dime*; *quarter*). Quand l'attaque utilise une formation avec un plus grand nombre d'ailiers, habituellement en situation de passe, la défensive doit s'ajuster. En général, pour chaque ailier espacé ou inséré de plus que compte l'unité à l'attaque, la défensive retranchera un secondeur et ajoutera un demi défensif.

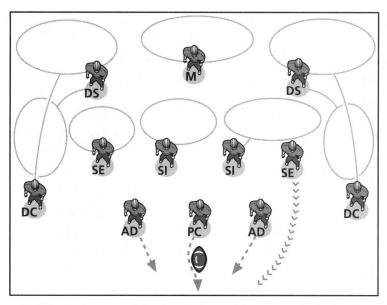

Une défensive de zone avec blitz *du secondeur extérieur et* cover 3, *plus inversion des zones entre demis de coin et demis de sûreté, formation 3-4.*

Au football canadien, par exemple, l'unité défensive de base (4-3) compte habituellement quatre joueurs de ligne (*defensive linemen*), trois secondeurs (*linebackers*) et cinq demis défensifs (*defensive backs*). Elle sert à contrer les formations à l'attaque qui comptent deux demis (*backs*) et quatre ailiers (rapprochés, insérés ou éloignés). Si l'unité offensive remplace un demi par un ailier, le coordonnateur à la défensive pourra remplacer un secondeur par un demi, mettant en place une formation dite *dime* (six demis défensifs). Si l'unité à l'attaque ne comporte aucun demi et six ailiers, il pourra remplacer un autre secondeur par un demi, créant ainsi une formation dite *quarter* (sept demis défensifs).

Au football américain (NFL), la formation de base ne comporte que quatre demis défensifs (deux demis de coin et deux demis de sûreté). Si on en ajoute un, on parlera de formation *nickel*, deux, de formation *dime*, et trois, de formation *quarter*.

Possibles en théorie, les formations à huit ou neuf demis défensifs ne portent pas de nom spécifique.

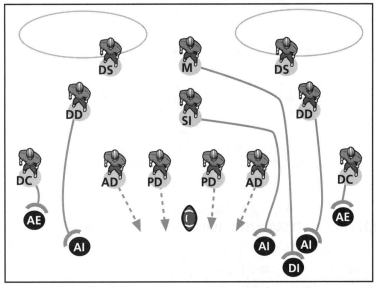

Une formation dime, *couverture homme pour homme et* cover 2.

La formation ligne des buts (*goal line*). Quand l'équipe à l'attaque se trouve à moins de cinq verges de la zone des buts adverse et qu'il y a de fortes chances qu'elle utilise le jeu au sol, le coordonnateur à la défensive peut envoyer sur le terrain une formation dont l'objet premier est d'empêcher le touché par la course. Pour ce faire, elle alignera plusieurs gros bonshommes (joueurs de ligne et secondeurs), dont la majorité s'installeront sur la ligne d'engagement. Quelques secondeurs (plus un maraudeur) pourront se trouver derrière celle-ci pour sceller les brèches. De plus, on placera à chaque bout de la ligne un demi défensif pour couvrir la passe au cas où l'offensive utiliserait cette stratégie ou recourrait à une feinte de course.

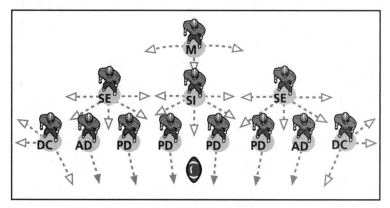

Une formation ligne des buts.

Quelques stratégies défensives

Outre la question de base que comporte le choix de la défensive de zone ou de la défensive homme pour homme, l'unité défensive a à sa disposition un certain nombre de stratégies, dont voici les principales.

La préventive (*prevent*). Quand une équipe mène par une large marge au quatrième quart et qu'il ne reste plus beaucoup de temps au cadran, elle peut utiliser une formation à plusieurs demis défensifs dite préventive (*prevent*). Celle-ci est moins une formation proprement dite qu'une stratégie dont l'objet est de laisser l'équipe adverse réussir de courts jeux (*underneath plays*) mais de rendre le long gain très difficile en faisant reculer les demis et les secondeurs en zones profondes. À la limite, il peut arriver que les joueurs de la ligne défensive ne cherchent même pas à exercer de pression sur le quart-arrière, se contentant de bloquer leurs corridors (*lanes*) et de lever les bras en l'air pour rabattre ou faire dévier les passes tout en maintenant le quart dans la pochette protectrice. De plus, les demis défensifs pourront exercer de la pression sur les receveurs de passe pour les forcer à courir des tracés à l'intérieur, les empêchant ainsi de sortir en touche une fois la passe complétée et d'arrêter le cadran. C'est une stratégie frustrante pour les amateurs de l'équipe en défense, car elle laisse l'équipe à l'attaque contrôler le ballon pendant de longues minutes.

Le *blitz*. Le *blitz*, qui peut contrer aussi bien le jeu au sol que la passe avant, est une arme à la fois redoutable et dangereuse. Redoutable pour plusieurs raisons : d'abord parce que n'importe lequel des secondeurs et des demis défensifs peut *blitzer* sur n'importe quel jeu, ce qui constitue un effet de surprise certain ; ensuite parce que le coordonnateur à la défensive peut faire *blitzer* un, deux et même trois joueurs (ou plus !) sur un même jeu, ce qui rend la tâche des joueurs de ligne offensive et des demis à l'attaque d'autant plus difficile ; enfin parce que le quart, ne sachant jamais d'où peut provenir le *blitz*, peut être surpris et commettre un revirement, particulièrement si le joueur qui *blitze* arrive dans son dos (*from the blind side*) et le frappe sans qu'il l'ait vu venir. C'est aussi une arme dangereuse : chaque joueur qui *blitze* abandonne ses autres responsabilités en défensive, ce qui peut libérer un des joueurs à l'attaque ou permettre d'isoler un receveur de passe de qualité sur un demi défensif qui lui est inférieur, causant ainsi un déséquilibre (*mismatch*); de plus, si le quart devine le blitz, il peut annoncer un autre jeu sur la ligne d'engagement (*call an audible*) et surprendre la défensive.

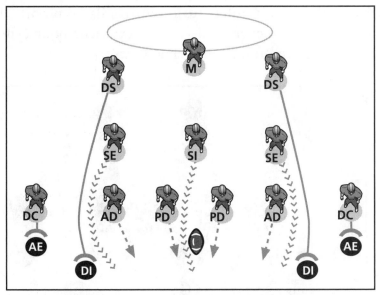

Un blitz *des trois secondeurs, couverture homme pour homme et* cover 1, *formation 4-3.*

La défensive de couverture en zone profonde (*cover 2, cover 3, cover 4*). Cette stratégie est souvent utilisée contre les équipes qui possèdent des ailiers rapides et redoutables, capables de procurer un long gain. Son objet est de rendre ces longs gains par la passe difficiles en faisant reculer les demis de sûreté (*safeties*) en couverture de zone profonde. Elle rend la tâche plus difficile au quart-arrière, qui doit faire la bonne lecture pour éviter l'interception, mais peut aussi faciliter le jeu au sol ou la courte passe.

La couverture zéro (*cover zero*). Dans cette couverture risquée, le maraudeur (*strong safety*) *blitze*, tandis que les autres demis défensifs sont en couverture homme pour homme. Comme ils n'ont pas d'aide en profondeur (*deep*), on dit qu'ils sont sur une île (*on an island*), c'est-à-dire seuls responsables du joueur qu'ils couvrent. Ils doivent donc amener celui-ci vers l'extérieur pour éviter d'être battus en profondeur derrière eux.

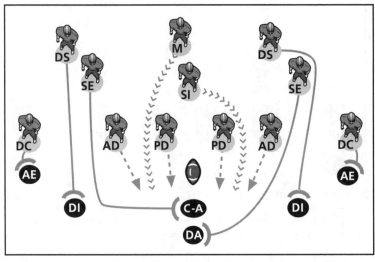

Cover zero *avec* blitz *du maraudeur et du secondeur intérieur, formation 4-3.*

CHAPITRE 4

Les unités spéciales

Souvent négligées des amateurs, les unités spéciales (*special teams*) sont d'une importance capitale au football, et les entraîneurs en sont conscients. Associées au changement de possession de longue distance, elles ont plusieurs fonctions et impliquent en principe un botteur (de précision, d'envoi ou de dégagement). Elles sont aussi souvent fort spectaculaires, entre autres quand un joueur en profite pour marquer un touché.

Dans un match, un jeu réussi (ou raté) par une unité spéciale peut marquer un point tournant. Voici quelques illustrations de cette affirmation au moyen d'exemples.

🏈 Le joueur qui reçoit le botté d'envoi au début de la partie l'échappe et le ballon est recouvré par l'équipe qui a botté. Celle-ci a un premier essai à la ligne de 18 de l'autre équipe. Quelles sont les conséquences de ce revirement (*turnover*)? 1) L'équipe qui a botté récupère le ballon dans la zone payante (*red zone*): il y a de fortes chances qu'elle marque des points (un placement ou un touché); 2) l'équipe qui recevait le ballon ne peut envoyer son attaque sur le terrain: elle doit plutôt y envoyer sa défensive; 3) l'équipe qui a échappé le ballon perd un tour de possession du ballon, puisque c'est elle qui bottera au début de la seconde demie (au football professionnel); 4) si l'équipe qui a recouvré le ballon marque un touché, les joueurs de l'autre équipe risquent de devenir nerveux ou d'être démoralisés (en anglais, on parle de «*momentum breaker*», ou même de «*game breaker*»).

● Une équipe marque un touché à la suite d'une longue séquence (*drive*), puis effectue un botté d'envoi. Sur le retour, l'autre équipe marque un touché. Conséquences? 1) L'effort accompli par l'unité à l'attaque pour marquer le touché est annulé en quelques secondes; 2) le *momentum* que cette équipe venait peut-être de regagner change à nouveau de côté.

● Dans un match serré marqué par du jeu défensif, le botteur de dégagement d'une équipe effectue des bottés qui sont systématiquement plus longs (à hauteur égale) d'une quinzaine de verges que son vis-à-vis. Conséquence? L'équipe dont le botteur botte plus loin va finir par marquer des points parce qu'elle remporte la compétition pour la position sur le terrain (*field position*), de sorte qu'elle se rapproche des buts de l'adversaire à chaque échange de possession (*possession change*).

● Un botté de dégagement est bloqué. Conséquences? L'équipe qui a bloqué le botté peut inscrire des points sur le jeu en retournant le botté bloqué dans la zone des buts adverse. Si elle ne le marque pas sur le jeu lui-même, elle prend néanmoins possession du ballon 40 verges plus près de la zone des buts adverse et peut éventuellement marquer des points rapidement.

Et ainsi de suite. D'où la nécessité pour les entraîneurs de préparer leurs unités spéciales avec autant de minutie que les unités offensive et défensive.

Chaque équipe compte d'ailleurs en principe quelques spécialistes des unités spéciales, des joueurs dont l'importance peut être déterminante dans un match : receveurs de bottés (*kick* et *punt receivers*) ultra rapides et dotés de feintes renversantes ainsi que de bonnes mains; botteurs de précision (*place kickers*) à la fois puissants et précis; botteurs de dégagement (*punters*) dotés d'un pied bionique; spécialistes des longues remises (*long snappers*) fiables; et excellents bloqueurs et plaqueurs. Les unités spéciales sont par ailleurs une porte d'entrée dans une équipe pour une recrue dotée de grandes qualités athlétiques.

Les jeux des unités spéciales sont aussi un moment excitant pour les joueurs qui en font partie, tant à cause de la coordination qu'elles requièrent que parce qu'elles sont souvent l'occasion de contacts violents avec les adversaires.

LE BOTTÉ D'ENVOI (*KICK OFF*)

Un botté d'envoi est effectué au début de chaque demie et après chaque placement et chaque touché. Au football amateur, aux niveaux où les joueurs sont jeunes, on peut envoyer immédiatement les unités offensives et défensives sur le terrain dans ces circonstances. Chez les professionnels, une équipe contre laquelle un placement vient d'être marqué a la possibilité de refuser que l'autre équipe botte et d'entreprendre sa série offensive depuis sa ligne de 20 verges (NFL) ou de 35 (dans la LCF).

Endroit d'où se fait le botté. Le botté d'envoi s'effectue depuis la ligne de 30 verges de l'équipe qui botte dans la NFL, à sa ligne de 35 au football professionnel canadien (LCF) et à sa ligne de 45 au football amateur canadien.

Position des joueurs des deux équipes avant le botté. Les **joueurs de l'équipe qui botte** se placent en ligne, de chaque côté du ballon, légèrement en retrait de celui-ci (quelques verges). Ils peuvent commencer à courir vers la zone adverse avant le botté, à condition de ne pas franchir la ligne où se trouve le ballon avant que le botteur n'ait frappé celui-ci.

Les **joueurs de l'équipe qui reçoit** s'installent en formation dispersée, mais à une distance minimale de 10 verges de la ligne de mêlée. Les plus rapides sont désignés comme les receveurs (*kick receivers*) : ils se placent près de leur ligne des buts, en parallèle l'un avec l'autre. Malgré cette division des tâches, tous les joueurs de l'équipe qui reçoit peuvent s'emparer du ballon une fois qu'il a été botté.

Le ballon est déposé sur un support (*tee*), à moins que les conditions météorologiques ne forcent l'emploi d'un teneur (*holder*). Le botteur se place environ cinq verges derrière le ballon, un peu en biais, du côté inverse à la jambe qui botte.

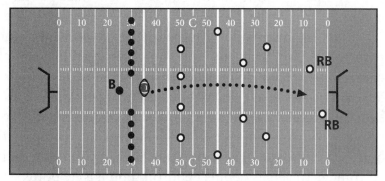

Les deux équipes sur le terrain avant le botté d'envoi (terrain de la LCF).

Règles régissant le botté d'envoi. Le botteur doit botter le ballon le plus loin possible (à moins d'une stratégie particulière ; voir plus bas), mais à l'intérieur de la surface de jeu. Le ballon ne peut franchir les lignes de côté avant qu'un joueur y ait touché, ni au vol ni après avoir touché le sol. Si cela arrive, l'équipe qui reçoit peut prendre possession du ballon à 30 verges de la ligne d'où il a été botté. Cette règle rend plus difficile et plus hasardeux le botté directionnel (*directional kick*), où le botteur vise un endroit précis ou cherche à éviter d'envoyer le ballon à un receveur en particulier.

Si le ballon se rend dans la zone des buts (au vol ou après avoir touché au sol), le receveur qui en prend possession peut poser un genou au sol (*knee down*) ; dans ce cas, le ballon est déposé à sa ligne de 20 (NFL) ou 35 verges (football canadien), où son équipe aura un premier essai.

191

Si le ballon franchit la ligne arrière des buts (*end line*) au vol ou après avoir touché le sol, la même règle s'applique. Dans ces deux circonstances, un point (*single*) est marqué par l'équipe qui botte au football canadien, mais pas dans la NFL. Tous les joueurs de l'équipe qui reçoit peuvent s'emparer du ballon, avant ou après qu'il ait touché le sol, et courir vers la zone de buts adverse. D'ailleurs, les joueurs de l'équipe qui reçoit doivent absolument prendre possession du ballon s'il est resté à l'intérieur des limites du terrain (*in bounds*), puisque tous les joueurs de l'équipe qui botte sont autorisés à s'en emparer aussi, à condition qu'il ait franchi 10 verges depuis l'endroit d'où il a été botté.

Si le joueur qui reçoit le ballon est plaqué dans sa zone des buts, il y a touché de sûreté (*safety*), et l'équipe qui botte marque deux points; de plus, l'équipe contre laquelle est marqué un touché de sûreté doit redonner le ballon à l'adversaire au moyen d'un botté d'envoi au football canadien ou d'un botté libre (*free kick*; voir encadré dans le chapitre 1) au football américain (NFL); au football amateur canadien, l'équipe qui plaque le receveur du botté d'envoi dans sa zone des buts obtient un point.

Le retour de botté d'envoi. Le joueur qui reçoit le botté doit chercher, à moins qu'il n'ait l'option de poser le genou au sol (*knee down*) parce qu'il se trouve dans sa zone des buts, à gagner le plus de verges possibles sur le retour. Pour ce faire, il dispose de l'aide des autres joueurs de son équipe, qui lui servent de bloqueurs.

Ceux-ci peuvent utiliser plusieurs **stratégies de bloc.** Une des plus connues est la mise en place d'un **mur** (*wedge*) par les joueurs qui se trouvent immédiatement devant le receveur quand celui-ci attrape le ballon : à quatre ou cinq, ils forment une ligne parallèle étanche (ils peuvent même se tenir par la main au début pour s'assurer qu'ils sont assez rapprochés) et se déplacent à l'unisson. Le porteur du ballon court derrière le mur jusqu'à ce qu'une ouverture s'offre à lui.

Il est permis au porteur du ballon, lors d'un retour de botté, de faire une passe **latérale** de n'importe quelle façon à n'importe lequel de ses coéquipiers (il n'y a pas de limite au nombre de passes latérales qui peuvent être faites sur le même retour). Cette stratégie peut être utilisée pour surprendre l'autre équipe en remettant le ballon à un joueur plus rapide ou en déplaçant le retour rapidement d'un côté à l'autre du terrain. On la voit parfois aussi à la fin d'un match important où une équipe doit marquer un touché à tout prix parce qu'il ne reste plus de temps au cadran et qu'elle tire de l'arrière par un touché ou moins. Parfois, ça marche !

Les joueurs de l'équipe qui retourne le ballon doivent bien sûr éviter certains gestes comme retenir un adversaire (*holding*), le bloquer dans le dos (*block in the back*) ou le bloquer sous la taille (*block below the waist*), gestes qui entraînent une **pénalité** (voir le chapitre 5).

La couverture de l'équipe qui a botté. Les joueurs de l'équipe qui bottent franchissent tous la ligne de mêlée en même temps, au moment où le botteur frappe le ballon, mais ils ne courent pas tous à la même vitesse. Leur objectif est bien sûr de se rendre au porteur du ballon le plus rapidement possible pour le plaquer. Ils doivent cependant s'assurer de ne laisser dans leur couverture (*coverage*) aucune brèche (*gap*) dans laquelle celui-ci pourrait s'engouffrer et obtenir un long gain ou marquer un touché. Une des règles de base qu'ils appliquent est de ne jamais suivre un chandail de la même couleur que le leur, de façon à couvrir le plus d'espace possible en largeur. Une autre est de se donner un bon angle de poursuite (*pursuit angle*) sur le porteur du ballon de façon à ne pas le manquer par une fraction de seconde. La troisième est d'établir une couverture des deux côtés du ballon, en partant des deux joueurs qui se ruent sur le porteur de ballon depuis les ailes, qu'on appelle les rabatteurs ou torpilles (*gunners*) (un joueur, habituellement le botteur, reste derrière en couverture de sûreté). La dernière (mais non la moindre) est de rester sur ses gardes, car les bloqueurs peuvent surgir de n'importe où (sauf dans le dos, en principe!). Les joueurs de l'équipe de couverture évitent de regarder le ballon en vol, puisqu'ils savent en principe où le botteur le dirige : ils portent plutôt leur attention sur le retourneur pour établir un bon angle de poursuite.

Stratégies particulières

Le botté directionnel (*directional kick*). Un bon botteur peut tenter de placer le ballon à un endroit précis (à la gauche ou à la droite du terrain, par exemple) pour faciliter le travail de couverture de ses coéquipiers ou pour éviter d'envoyer le ballon au meilleur retourneur de botté de l'autre équipe.

Le botté au ras du sol (*low line drive* ou *squib*). À certains moments (à la fin d'un match par exemple) ou dans certaines circonstances (quand le receveur de botté adverse est trop dangereux), une équipe peut décider de faire un botté en flèche au ras du sol. Comme ce genre de botté couvre moins de distance que le botté habituel, il sera vraisemblablement attrapé par un joueur destiné au bloc, et par conséquent moins rapide et moins habitué à retourner des bottés que le spécialiste des retours. Cette stratégie vise à limiter la longueur du retour et même à saboter la stratégie de retour établie par l'autre équipe, bien que le ballon franchisse moins de distance que le botté normal. Attention à la passe latérale, cependant!

Le botté court (*short kick*). Cette stratégie a comme but la récupération du ballon par l'équipe qui botte. Le botteur peut alors botter le ballon n'importe où à l'intérieur des limites selon un plan déterminé à l'avance : le plus souvent, il vise les lignes de côté et tente de faire rebondir le ballon. Dans ce cas, l'équipe qui botte masse plusieurs de ses joueurs du même côté du terrain, de même que l'équipe qui reçoit, laquelle envoie sur le terrain ses joueurs qui ont les meilleures mains (*hands team*). Mais le botteur peut aussi utiliser une autre stratégie, comme effectuer un faible botté flottant (*pooch kick*) vers le centre du terrain, par exemple. Les joueurs de première ligne de l'équipe qui botte tentent d'éliminer les joueurs de l'autre équipe qui protègent les spécialistes qui s'avancent pour capter le ballon : ils visent par cette stratégie à permettre aux joueurs plus rapides et de grande taille de leur équipe de récupérer le ballon ou, s'ils en sont incapables, de le faire dévier à l'extérieur du terrain.

Si le ballon franchit 10 verges ou plus, les joueurs de l'équipe qui botte peuvent essayer de le récupérer. S'il ne franchit pas les dix verges, l'équipe qui botte est pénalisée de cinq verges et doit reprendre son botté (cette pénalité

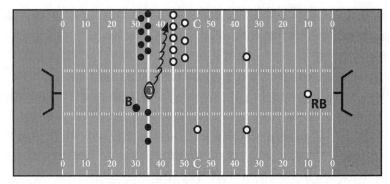

Les formations sur le terrain pour un botté court (LCF).

peut être déclinée par l'équipe qui reçoit le ballon si elle a récupéré le ballon ou si le ballon est sorti en touche à moins de dix verges de l'endroit où il a été botté ; la remise en jeu s'effectue alors au point où le ballon est mort). L'équipe qui s'empare du ballon suite au botté en prend possession à l'endroit où le joueur qui l'avait en sa possession a été plaqué.

Après que le joueur qui a reçu le ballon ait été plaqué ou que le ballon soit sorti en touche (*out of bounds*), le ballon est mort (*dead ball*) et le temps s'arrête. L'équipe qui a alors possession du ballon envoie son unité offensive sur le terrain et le premier essai (*first down*) commence à l'endroit du plaqué ou de la sortie du ballon.

LE PLACEMENT (*FIELD GOAL*)

L'équipe qui a la possession du ballon et qui n'a pas encore épuisé tous ses essais peut utiliser l'un de ceux-ci (n'importe lequel, pas seulement le troisième ou le quatrième) pour effectuer un **botté de placement** (*field goal*) si elle estime qu'elle est suffisamment près de la zone des buts adverse.

POURQUOI UNE ÉQUIPE EFFECTUE-T-ELLE PARFOIS UN BOTTÉ DE PLACEMENT AVANT SON DERNIER ESSAI ?

Parfois, dans le cours d'un match, une équipe tentera un placement avant son dernier essai. C'est une tactique qui est utilisée à la fin d'une demie ou en surtemps (*overtime*) pour une des raisons suivantes : il ne reste plus assez de temps au cadran pour épuiser sa série d'essais ; l'attaque est déjà dans la zone de sécurité du botteur après un ou deux essais et l'entraîneur veut conserver plus d'un essai au cas où la première tentative échouerait pour cause de mauvaise remise (*bad snap*) par exemple. Attention : une équipe dont le botteur aurait manqué la cible lors de son deuxième essai ne peut pas utiliser son troisième essai pour s'essayer à nouveau.

Le botteur de précision (*place kicker*) cherche alors à placer le ballon entre les poteaux de buts (*goal posts*) de l'équipe adverse pour obtenir trois points. Le botté sera déclaré bon si le ballon passe entre les poteaux des buts (*uprights*) et au-dessus de la barre horizontale (*crossbar*). S'il est botté plus haut que la hauteur maximale des poteaux verticaux (*uprights*), les arbitres qui sont postés immédiatement sous chacun de ceux-ci devront déterminer si le ballon se trouvait entre les lignes imaginaires qui les prolongent au moment où il a franchi les poteaux des buts (*goal posts*). Si le ballon touche la barre horizontale ou les poteaux verticaux et qu'il passe par la suite entre ceux-ci, le botté sera déclaré bon. Si le ballon est dévié (*tipped*) par un joueur de la défensive, mais qu'il passe néanmoins entre les poteaux des buts, le placement est valide.

La technique du botté de placement. Le botteur de précision ne reçoit pas le ballon directement des mains du centre (*snapper*). Celui-ci doit le lancer à un joueur, le teneur (*holder*), qui est agenouillé 7 verges derrière la ligne de mêlée et qui a la responsabilité de l'attraper et de le placer sur le sol en bonne position (debout, légèrement incliné vers le botteur et les lacets vers les poteaux). Le botteur cherche alors à le diriger entre les poteaux en le frappant du pied. Toute l'opération, depuis la remise jusqu'au moment où le botteur frappe le ballon, doit prendre entre 1,8 et 2,4 secondes, au maximum.

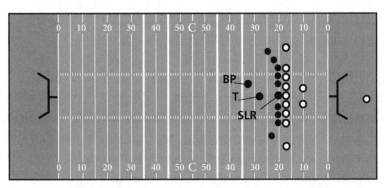

Les formations sur le terrain pour un botté de placement (LCF).

Trois joueurs clés. La formation qui est envoyée sur le terrain pour effectuer un botté de placement compte trois joueurs clés :

- le **spécialiste des longues remises** (*long snapper*), qui doit être capable de lancer le ballon entre ses jambes à une distance de 7 verges derrière lui entre les mains du teneur, qui est agenouillé ;

- le **teneur** (*holder*), qui doit attraper le ballon, le déposer pointe sur le sol en tournant les lacets vers la cible pour éviter qu'ils ne nuisent à la précision du botté s'ils étaient touchés par le pied du botteur, et le pencher légèrement vers celui-ci (à noter que cette position est souvent occupée par un quart-arrière suppléant) ;

- et le **botteur de précision** (*place kicker*), dont le botté doit non seulement être puissant, mais précis.

Les autres joueurs de l'équipe qui botte ont comme fonction de bloquer les joueurs de la défensive. Au football canadien, ils doivent aussi préparer une couverture de botté pour plaquer le retourneur si le placement est raté.

Jeu de la défensive. Lors d'un botté de placement, la tâche des joueurs de la défensive est double : d'abord essayer de pénétrer dans le champ arrière pour perturber le jeu en bloquant le ballon ou en plaquant le teneur ou le botteur avant que celui-ci n'ait frappé le ballon ; ensuite, tenter de bloquer ou de faire dévier (*tip*) le ballon quand il passe au-dessus de la ligne de mêlée pour l'empêcher d'atteindre sa cible. Attention : un joueur de la défensive n'a pas le droit d'utiliser un de ses coéquipiers pour gagner de la hauteur et ainsi bloquer le botté.

En théorie, il n'est pas interdit de placer un joueur doté d'une bonne impulsion devant les poteaux des buts pour que celui-ci saute et empêche le ballon de franchir les poteaux ; en pratique, on ne le voit jamais. Au football canadien, les joueurs de la défensive doivent aussi organiser un retour et se préparer à bloquer pour le joueur qui aurait attrapé un placement manqué dans sa zone des buts et déciderait de courir vers la zone de buts adverse.

Règles régissant le botté de placement

Le botté de placement s'effectue à partir de l'endroit où la progression de l'attaque a été arrêtée. Le spécialiste des longues remises lance alors le ballon au teneur, agenouillé 7 verges derrière lui. Pour connaître la distance d'un botté de placement, il faut donc effectuer l'opération suivante :

- Au football canadien : la distance de la zone des buts où la progression de l'équipe à l'attaque a été stoppée plus 7 verges (distance entre le centre et le teneur ; les poteaux des buts sont situés sur la ligne des buts).

- Au football de la NFL : la distance de la zone des buts où la progression de l'équipe à l'attaque a été stoppée plus 17 verges (distance entre le centre et le teneur plus les dix verges de profondeur de la zone des buts ; les poteaux des buts sont situés au fond de celle-ci).

L'attaque doit donc se trouver à une certaine distance de la zone des buts adverse pour espérer réussir un placement, selon la qualité de son botteur et les conditions météorologiques. Le tableau et l'illustration suivants indiquent le pourcentage de réussite des placements dans la NFL, selon la distance (saison 2003).

PLACEMENTS ET CONVERTIS : STATISTIQUES DE RÉUSSITE DANS LA NFL, SAISON 2003 :

Distance	Réussi	Tenté	% Réussite
1-29 vgs	276	287	96 %
30-39 vgs	229	277	83 %
40-49	206	297	69 %
50+	45	93	48 %
global	756	954	79 %
converti	1110	1128	98 %

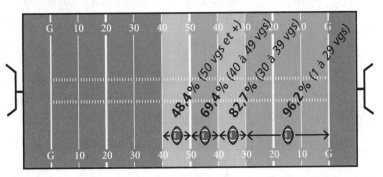

Le pourcentage de réussite des placements selon la distance de la zone des buts dans la NFL en 2003.

Si la remise est manquée ou que le teneur ou le botteur est plaqué avant que celui-ci ne frappe le ballon avec son pied, la possession du ballon est attribuée à l'autre équipe à l'endroit où le plaqué a eu lieu. Si le ballon est bloqué par un des joueurs de l'équipe adverse, il est en jeu (*live ball*) et peut être recouvré par n'importe quel joueur. L'équipe en défensive peut donc recouvrer le ballon et le faire avancer. Si le ballon est dévié (*tipped*) mais qu'il ne passe pas entre les poteaux des buts, l'équipe en défensive a deux choix : recouvrer le ballon pour le faire avancer ou le laisser bondir et rouler sans le toucher à nouveau jusqu'à ce qu'il s'arrête et soit déclaré mort par les arbitres. Dans ce dernier cas, l'équipe en défensive reprend le ballon au même endroit que si le placement avait été raté (voir plus bas).

Les joueurs de l'équipe en défensive ne peuvent pas frapper le teneur ni le botteur immédiatement après que celui-ci a effectué son botté sous peine de pénalité, à moins d'avoir fait contact avec le ballon lors du botté.

Si le botteur de précision **réussit son placement**, son équipe obtient trois points et doit effectuer un botté d'envoi (*kick off*) pour remettre le ballon à l'autre équipe, à moins que l'autre équipe ne choisisse de reprendre le ballon sans botté à sa ligne de 35 ou de 45 (au football canadien).

Si le botteur de précision **rate son placement** sans que le ballon soit bloqué, les règles diffèrent selon les ligues. Dans la NFL, l'équipe en défensive prend possession du ballon à l'endroit où le teneur s'était agenouillé (sept verges derrière la ligne de mêlée). Au football canadien, un placement raté peut donner un point à l'équipe qui botte si le ballon franchit la ligne de fond (*end line*) du terrain ou si le joueur de l'équipe qui reçoit le concède après avoir attrapé le ballon dans sa zone des buts ; ce joueur peut aussi effectuer un retour de botté et ramener le ballon jusque dans la zone des buts adverse pour un touché.

La feinte de placement (*fake field goal*). L'équipe en attaque peut envoyer sur le terrain son unité spéciale de placement et feindre (*fake*) celui-ci pour faire avancer le ballon comme si c'était un jeu de l'unité à l'attaque. À ce moment, les règles qui s'appliquent sont celles qui régissent l'attaque et toutes les options sont ouvertes aux entraîneurs quant au choix du jeu. Elle peut aussi essayer de faire commettre un hors jeu à la défensive pour obtenir les verges manquantes.

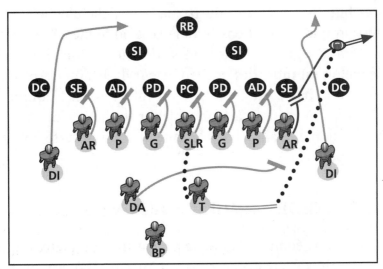

Feinte de placement et passe du teneur à l'ailier rapproché.

LA TRANSFORMATION (*POINT AFTER*)

L'équipe qui vient de marquer un touché a le choix du type de transformation qu'elle désire effectuer. Dans les deux cas, le ballon est alors placé à la ligne de deux verges de la zone des buts adverse dans la NFL et à celle de cinq verges au football canadien.

Si elle choisit de faire un botté de transformation, elle envoie sur le terrain la même unité spéciale que pour un placement. Le botté se fait de la même façon, sauf que le ballon est mort (*dead ball*) dès qu'il a été dévié, bloqué ou qu'il franchit les poteaux des buts. Si le botté est réussi, l'équipe marque un point.

Si elle choisit de faire pénétrer le ballon dans la zone des buts par la course ou par la passe, elle envoie sur le terrain une unité offensive (à l'occasion feinte). Les règles générales régissant l'offensive s'appliquent alors, sauf que le ballon est mort dès que le porteur du ballon est plaqué et que la passe est échappée ou interceptée. L'équipe à l'attaque qui réussit à faire pénétrer un de ses joueurs en possession du ballon dans la zone des buts adverse obtient deux points.

LE BOTTÉ DE DÉGAGEMENT (*PUNT*)

Lorsqu'une équipe à l'attaque n'a pas franchi les dix verges nécessaires pour obtenir un premier essai à son avant-dernier essai (2e au football canadien ; 3e dans la NFL) et qu'elle n'est pas assez près de la zone des buts adverse pour tenter un placement, elle peut choisir de repousser le

ballon vers la zone adverse au moyen du botté de dégagement (*punt*). Le botté doit bien sûr être long, mais il doit
aussi rester dans les airs le plus longtemps possible (*hang
time*) pour laisser le temps aux plaqueurs de s'approcher
du receveur de bottés et lui laisser le moins d'espace de
manœuvre possible. Autant que possible (en tenant
compte des circonstances particulières et des conditions
météorologiques), il doit être botté aux endroits d'où le
retour risque d'être le moins long : c'est ce qu'on appelle le
botté directionnel (*directional punt*).

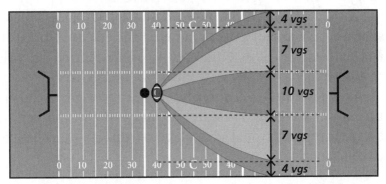

La longueur moyenne du retour de botté selon le point d'atterrissage
de celui-ci dans la LCF.

Quand il ne reste qu'une très courte distance à franchir pour obtenir le premier essai ou que la situation est
cruciale, elle peut bien sûr utiliser son dernier essai pour
gagner une autre série d'essais (*a new set of downs*).

La position des joueurs. Le botté de dégagement
s'effectue à partir du point où la progression de l'équipe à
l'attaque a été arrêtée. Les joueurs de l'**équipe à l'attaque**
se placent ainsi : sept joueurs, à la fois costauds, rapides et

excellents bloqueurs, se placent sur la ligne de mêlée à proximité du ballon; deux, parmi les plus rapides, peuvent se placer proche de chacune des lignes de côté pour courir vers le joueur qui recevra le botté et le plaquer; un ou deux joueurs, souvent un demi à l'attaque (*back*) se placent quelques verges derrière la ligne de mêlée, un peu à la droite ou à la gauche du centre (*long snapper*), pour servir de bloqueur de sûreté au cas où un joueur de l'autre équipe franchirait la ligne de mêlée; enfin, le botteur (*punter*) se place en droite ligne avec le spécialiste des longues remises (*long snapper*), environ quinze verges derrière lui.

Les joueurs de **l'équipe en défensive** se placent ainsi: sept ou huit joueurs sur la ligne de mêlée; deux ou trois aux extrémités (deux d'un côté et un de l'autre, selon la rapidité et la dangerosité du joueur à couvrir) pour bloquer les ailiers qui foncent vers le receveur de botté; un ou deux receveurs de botté. Au football canadien, le douzième joueur peut être placé n'importe où selon les circonstances.

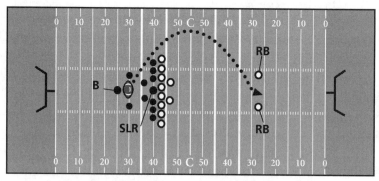

Les formations sur le terrain avant le botté de dégagement (LCF).

Les règles qui s'appliquent au botté de dégagement

Aidé de ses bloqueurs, le joueur de l'équipe qui reçoit le botté (*punt receiver*) cherche à le retourner vers la zone des buts de l'équipe qui a botté. Dans le cas où n'importe lequel des joueurs de l'équipe qui reçoit le botté le touche ou l'effleure de quelque façon que ce soit et que le ballon tombe au sol par la suite, celui-ci est en jeu (*live ball*) et peut être recouvré par les joueurs de l'équipe qui a botté, sauf s'il a été dévié à la ligne d'engagement.

Si un botté de dégagement (*punt*) **est dévié** et traverse la ligne d'engagement (*line of scrimmage*), les joueurs de l'équipe qui botte peuvent recouvrer le ballon et le faire avancer. Celle-ci conserve la possession du ballon si elle franchit ainsi les verges nécessaires pour obtenir un premier essai (*first down*). Sinon, le ballon revient à l'équipe défensive au point où sa progression a été arrêtée (*dead ball*).

Au **football canadien**, le joueur qui reçoit le botté doit le capter (*catch*), mais les joueurs de l'équipe qui a botté ne doivent pas s'approcher à moins de 5 verges de lui avant qu'il ait touché au ballon, sous peine de pénalité. De plus, le **botteur** (*punter*) et les joueurs qui se trouvaient derrière le ballon au moment où celui-ci a été botté ont le privilège de courir vers le ballon dès qu'il l'a botté et de le récupérer même si aucun joueur de l'autre équipe ne l'a touché.

Dans la **NFL**, le joueur qui reçoit le botté de dégagement a trois choix :

1) **capter le ballon**, mais sans avoir droit à quelque protection que ce soit quant à la distance à laquelle

se trouvent les joueurs de l'autre équipe au moment où il fait l'attrapé, et courir vers la zone de buts adverse après celui-ci ;

2) **laisser tomber le ballon** et le laisser bondir et rouler jusqu'à ce qu'il s'arrête ou qu'un des joueurs de l'équipe qui l'a botté en ait pris possession (même en l'attrapant au vol) ; l'équipe qui recevait le botté en prend alors possession à l'endroit où il s'est arrêté ou a été touché par l'autre équipe ;

3) signaler l'**attrapé loyal** ou **attrapé sans contact** (*fair catch*), en levant un bras au-dessus de la tête avant de capter le ballon ; ce signal indique à l'équipe qui a botté que le joueur qui capte le ballon ne veut pas le faire avancer après l'avoir attrapé et qu'il est par conséquent interdit d'entrer en contact avec lui (avant ou après l'attrapé) sous peine de pénalité ; le ballon est alors déclaré mort (*dead ball*) au point d'attrapé ; les joueurs de l'équipe qui a botté peuvent cependant recouvrer le ballon s'il est échappé (*fumbled*) par le joueur qui a demandé l'immunité. Au football canadien, cette règle n'existe pas.

Quand un botté de dégagement est **botté hors limites**, que ce soit volontaire ou non, l'arbitre détermine de façon aussi précise que possible l'endroit où le ballon est sorti de la surface de jeu et on le remet en jeu à cet endroit. La possession en est attribuée à l'équipe qui devait le recevoir.

Si un botté de dégagement se rend jusque dans la **zone des buts**, les règles diffèrent selon les ligues. Au football canadien, le joueur qui le reçoit a le choix de porter le

POURQUOI LE RECEVEUR DE BOTTÉS DE DÉGAGEMENT JOUIT-IL DE L'IMMUNITÉ AU FOOTBALL CANADIEN ET PAS AU FOOTBALL DE LA NFL?

Au football canadien, aucun des joueurs de l'équipe qui a botté, sauf le botteur, ne peut se trouver à moins de 5 verges du joueur qui reçoit le botté au moment où il touche le ballon sous peine de pénalité (voir le chapitre 5); cette règle n'existe pas dans la NFL, où le receveur de botté n'a pas d'autre protection contre les plaqueurs de l'autre équipe que de signaler l'attrapé sans contact (*fair catch*; voir le chapitre 1), par lequel il indique qu'il ne désire pas faire avancer le ballon après l'avoir capté.

La raison principale de cette différence est la suivante: au football canadien, tous les joueurs de l'équipe qui botte peuvent se précipiter vers le receveur de botté dès la remise du ballon au botteur; au football américain, seuls les deux joueurs qui se trouvent aux extrémités de la ligne (les rabatteurs ou torpilles) peuvent décoller vers le receveur de botté dès la remise (les autres doivent attendre que le botté ait franchi la ligne de mêlée).

ballon pour le faire sortir jusqu'où il le pourra ou de mettre un genou au sol pour concéder un simple (*single*); si le receveur de botté concède un simple ou qu'il est plaqué dans sa zone des buts, l'équipe qui a reçu le botté prend possession du ballon à sa ligne de 35 verges. Dans la NFL, un receveur de botté ne se rend jamais dans la zone des buts pour y attraper le ballon, parce que celui-ci est déclaré mort dès qu'il touche le sol dans la zone des buts ou qu'il est attrapé ou touché par un joueur de l'équipe qui botte et qui s'y trouve, même du bout d'un orteil. Si un receveur de botté de dégagement était plaqué dans sa zone des buts, il y aurait touché de sûreté (*safety*). Quand un botté de dégagement pénètre dans la zone des buts, l'équipe qui reçoit prend possession du ballon à sa ligne de 20 verges. Parmi les règles de base qu'on enseigne aux retourneurs, on leur dit qu'il ne faut pas, sauf exception, attraper un ballon dans la zone des buts et encore moins retourner vers sa zone des buts pour effectuer un retour.

Comme dans le cas d'un botté d'envoi, les joueurs de l'équipe qui reçoit le botté peuvent se le transmettre pendant le retour (*punt return*) au moyen de la passe latérale.

La feinte de dégagement. Une équipe qui s'installe sur le terrain pour effectuer un botté de dégagement peut aussi effectuer une feinte et essayer de gagner les verges qui lui manquent pour gagner le premier essai. Compte tenu du personnel présent sur le terrain, les possibilités sont plus limitées que lors d'un jeu de l'unité à l'attaque, mais on peut utiliser aussi bien le jeu au sol que la passe avant. Elle peut aussi tenter de faire commettre un hors jeu aux joueurs de l'autre équipe pour gagner les verges qui lui manquent.

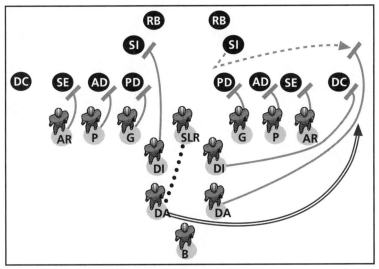

Feinte de botté de dégagement, remise directe au demi et course de celui-ci.

CHAPITRE 5

Les arbitres et les principales pénalités

Au football, les pénalités servent autant à mettre de l'ordre dans la partie qu'à protéger les joueurs. Une pénalité vise d'abord l'équipe et elle se traduit en un certain nombre de verges contre l'équipe du joueur fautif. Quelques pénalités entraîneront aussi une perte d'essai (*loss of down*). Exceptionnellement, un joueur reconnu coupable d'une pénalité particulièrement grave (rudesse ou conduite anti-sportive) pourra être expulsé du match.

LES OFFICIELS

Le football est arbitré par plusieurs officiels, soit les arbitres (qui se trouvent sur la surface de jeu) et les officiels mineurs, qui se placent en dehors de celle-ci (sur les lignes de côté ou dans la loge du chronométreur).

Règle générale, il y a 7 arbitres en fonction dans la NFL, 6 dans la LCF et au football universitaire canadien (un match amateur peut être arbitré par aussi peu que trois arbitres).

Tableau des arbitres selon les ligues

NFL (7 arbitres)	LCF (6 arbitres)	Universitaire canadien (6 arbitres)
Arbitre (*referee*)	Arbitre	Arbitre
Juge de mêlée (*umpire*)	Juge de mêlée	Juge de mêlée
Juge de champ arrière n° 1 (*backfield judge*)	Juge de champ arrière 1	Juge de champ arrière 1
Juge de champ arrière n° 2 (*side judge*)	Juge de champ arrière 2	Juge de champ arrière 2
Juge de ligne n° 1 (*head lineman*)	Juge de ligne n° 1	Juge de ligne n° 1
Juge de ligne n° 2 (*line judge*)	Juge de ligne n° 2	Juge de ligne n° 2
Juge arrière (*back judge*)		

Comme chacun des arbitres a des fonctions précises, les spectateurs (ainsi que les joueurs et les entraîneurs) peuvent présumer du type de pénalité qui est imposée en sachant quel officiel a lancé son mouchoir (*flag*). Chacun des arbitres a les responsabilités suivantes :

L'arbitre (*referee*). Il est l'arbitre principal et il dirige le travail des autres officiels (il peut demander le remplacement d'un officiel mineur). C'est lui qui applique les règlements, qui tranche les situations litigieuses et impose les pénalités (c'est aussi lui qui en indique la nature au marqueur par les signaux appropriés). Il est le seul responsable officiel du pointage. Il a aussi le pouvoir d'annuler une décision prise par un autre officiel.

Lorsqu'une pénalité est annoncée, c'est lui qui décrit l'infraction, ses conséquences et les options qui lui sont offertes au capitaine de l'équipe non fautive (il est d'ailleurs le seul intermédiaire entre les officiels et les capitaines ou entraîneurs des équipes).

Avant la partie, il vérifie la légalité des ballons et rencontre les entraîneurs des deux équipes pour leur rappeler certaines règles et discuter avec eux du match.

Entre deux essais, il est responsable du décompte des secondes et détermine quand le ballon est prêt à être joué après avoir vérifié si les autres arbitres sont en position.

Premier essai au football canadien.   *Deuxième essai au football canadien.*

Troisième essai au football canadien.

Premier essai au football américain.

Deuxième essai au football américain.

Troisième essai au football américain.

C'est lui qui indique au marqueur à quel essai l'équipe à l'attaque est rendue.

Pendant les séquences de jeu, il se place une dizaine de verges derrière l'équipe à l'attaque, un peu vers la droite si le quart-arrière est droitier (et vice-versa). Il vérifie si le ballon a été mis en jeu de façon réglementaire. Il est responsable du passeur ou du botteur et des gestes de leurs adversaires (rudesse). Il surveille la légalité des blocs des joueurs de la ligne offensive et de ceux qui sont dans le

Quatrième essai au football américain.

champ arrière (*backfield*). Il juge aussi de la légalité des passes latérales. C'est lui qui détermine si le quart a échappé (*fumbled*) le ballon ou si le quart était en train de faire sa motion pour effectuer une passe avant au moment où le ballon lui a échappé. Sur un jeu au sol, il suit le porteur de ballon, qu'il surveille, ainsi que les contacts derrière celui-ci. Avec l'aide des juges de champ arrière, il détermine la progression du ballon.

Il porte généralement une casquette blanche, qui le distingue des autres arbitres, qui portent une casquette noire (ce code vestimentaire peut varier selon les ligues).

Le juge de mêlée (*umpire*). Il surveille les gestes des joueurs des deux équipes à la ligne de mêlée. Il surveille notamment : la légalité de l'équipement des joueurs ; le nombre de joueurs de l'attaque présents sur le terrain; la conformité de la remise (*snap*); les infractions commises à la ligne de mêlée; les actions des secondeurs (*linebackers*) contre les receveurs de passe; les courtes passes (captées ou non); la légalité des blocs de son côté de la ligne d'engagement. C'est aussi lui qui détermine si un joueur non éligible de l'attaque se trouve à plus de 5 verges de la ligne de mêlée (*line of scrimmage*) en direction de la zone des buts adverse (*down field*) avant que la passe avant n'ait franchi la ligne de mêlée.

Il se place entre 5 et 7 verges derrière la ligne d'engagement, du côté de la défensive, un peu derrière le secondeur intérieur (*middle linebacker*), quelque part vis-à-vis le plaqueur défensif du côté faible et le garde du côté fort.

Les juges de champ arrière (*backfield judges*). Ils sont responsables des gestes des joueurs des deux équipes du côté défensif de la ligne d'engagement. Ils surveillent les ailiers espacés. Ils déterminent notamment si une passe a été captée ou non, l'endroit où la progression du porteur de ballon a été stoppée, si le porteur de ballon est sorti en touche, si une passe a été captée à l'intérieur des limites du terrain ou non et la réussite des bottés de placement et de transformation. Ils sont particulièrement attentifs à l'obstruction offensive ou défensive sur les jeux de passe (*pass interference*). Le juge de champ arrière numéro 1 (*field judge*) compte le nombre de joueurs de la défensive présents sur le terrain.

Ils se placent derrière les joueurs de la défensive qui sont les plus éloignés de la ligne d'engagement, entre les hachures (*hash marks*) et les lignes de côté.

Les juges de ligne (*linesmen*). Ils sont chargés de surveiller la ligne d'engagement (notamment les infractions relatives à la zone neutre) et les actions des ailiers espacés et insérés de leur côté du terrain. Ils déterminent entre autres : si une passe a été captée dans la surface de jeu ou en touche (*out of bounds*) ; l'endroit où le porteur de ballon est sorti en touche ; l'endroit où un botté est sorti en touche après avoir touché le sol (si le ballon sort en touche au vol, c'est l'arbitre en chef qui détermine où il est sorti). Ils sont aussi responsables de la légalité des remplacements de joueurs.

Le juge de ligne nº 1 (*head linesman*) est notamment responsable de superviser le travail des chaîneurs et de l'indicateur d'essais, ainsi que de veiller au positionnement adéquat du marqueur (poteau tenu par l'indicateur d'essai et qui indique l'essai qui est en cours ainsi que la progression du ballon ; on place aussi parfois une bande orangée sur les lignes de côté pour indiquer celle-ci). Il aide l'arbitre en chef à déterminer le compte des essais.

Le juge de ligne nº 2 (*line judge*) est responsable de déterminer si une passe est une passe avant (*forward pass*) ou une latérale. C'est aussi lui qui détermine si le quart a traversé la ligne de mêlée avant de décocher une passe avant. Il aide le chronométreur à gérer l'horloge.

Le juge de ligne nº 1 se positionne sur les lignes de côté, vis-à-vis la ligne d'engagement (*line of scrimmage*), du côté de la tribune de presse. L'autre se place en face de lui, de l'autre côté du terrain.

Le juge arrière (*back judge*). Présent uniquement dans la NFL, le juge arrière assiste les juges de champ arrière, notamment quant aux actions qui se produisent profondément en zone défensive et dans la zone des buts. Il surveille en particulier l'ailier rapproché (*tight end*).

Il se place au centre du terrain, profondément en zone défensive (25 verges).

QUELS SONT LES OUTILS DE L'ARBITRE DE FOOTBALL ?

Un **mouchoir** (*flag*) orangé, qu'il lance sur le terrain pour annoncer une pénalité.

Un **sac de fèves** (*bean bag*), qu'il lance sur le terrain à un endroit précis pour indiquer l'endroit où le ballon a changé de possession ou a été échappé, par exemple.

Sa **casquette** (*cap* ou *hat*), qu'il peut utiliser s'il a déjà lancé son mouchoir et son sac de fèves.

Son **sifflet** (*whistle*), qui lui sert à indiquer que le ballon est mort ou pour indiquer qu'il peut être remis en jeu.

Les officiels mineurs sont les **chaîneurs** (qui placent les poteaux de la chaîne sur les lignes de côté conformément aux directives du premier juge de ligne), l'**indicateur d'essais** (qui place le marqueur d'essais au point où le ballon doit être remis en jeu et indique le numéro de chaque essai), le **chronométreur** et le **marqueur**.

LES PRINCIPALES PÉNALITÉS

Chacun des arbitres présents sur le terrain a le droit d'imposer une pénalité. Il jette alors un mouchoir (*flag*) orangé sur le terrain, puis se rend auprès de l'arbitre en chef (*referee*), auquel il explique l'infraction et désigne le coupable par son numéro. Au cas où deux ou plusieurs arbitres n'ont pas le même avis sur l'infraction, l'arbitre en chef et les arbitres concernés forment alors un caucus où ils décident de mettre en vigueur ou même de ne pas imposer la pénalité. Même procédure dans le cas où plus d'une infraction est signalée sur le même jeu. Cette façon de faire permet de limiter les mauvaises décisions en confrontant les interprétations différentes que peuvent avoir deux ou plusieurs arbitres sur un même jeu selon leur angle de vision.

Une fois la décision prise, l'arbitre en chef (*referee*) décrit l'infraction, ses conséquences et les options qui lui sont offertes au capitaine de l'équipe non fautive, qui lui transmet la décision de son équipe (accepter ou refuser la pénalité, lorsque c'est possible). C'est aussi l'arbitre en chef qui décrit l'infraction au marqueur par le signal approprié en se plaçant face à la tribune de presse (sauf exception) et qui lui mentionne quelle équipe est punie, le numéro du joueur fautif, les conséquences qui découlent de la décision (nombre de verges de pénalité; reprise ou non de l'essai; numéro du prochain essai) et si la pénalité a été, le cas échéant, acceptée ou refusée.

Au contraire de la plupart des sports, les arbitres de football disposent de critères assez précis qui déterminent s'ils doivent ou non annoncer une infraction: ainsi sont-ils moins portés à s'en remettre à leur seul jugement. Par exemple, un joueur de ligne offensive qui agrippe un défenseur et l'entraîne par terre sera automatiquement pénalisé pour avoir retenu; un joueur qui plaque au moyen de son casque sera quant à lui pénalisé pour dardage (*spearing*) quelles qu'aient été ses intentions; et un joueur qui en agrippe un autre par le protecteur facial verra son équipe débitée de quelques verges (5 ou 15 selon la gravité du cas), que son geste ait été volontaire ou non. De plus, les arbitres signaleront une infraction quel que soit le pointage et quelles que soient les circonstances de la partie (premier ou quatrième quart, premier ou troisième essai). Le *modus operandi* en vigueur dans certains sports et selon lequel les arbitres évitent d'imposer une pénalité dans des circonstances dramatiques ou dans la dernière période de jeu pour ne pas influer sur le cours du match n'y a pas ou peu cours: en effet, ne pas signaler une infraction, c'est aussi intervenir dans le déroulement de la partie!

Dans le cas où les deux équipes sont coupables d'une infraction sur le même jeu, des règles complexes s'appliquent pour déterminer le résultat. Dans certains cas, les deux pénalités s'annuleront (*offset*) et on reprendra l'essai; dans d'autres, un subtil calcul permettra de déterminer quelle équipe sera avantagée ou punie.

Si une pénalité fait avancer le ballon du nombre de verges nécessaires pour obtenir un premier jeu, celui-ci est accordé. Si une infraction survient à une distance de la ligne des buts inférieure au nombre de verges qu'elle entraîne (exemple: une pénalité de 10 verges signalée à la ligne de 6 verges), le ballon sera avancé (ou reculé) de la moitié de la distance qui sépare le ballon de la zone des buts (ici, la ligne de 3 verges). Si une infraction contre la défensive (ex.: interférence contre la passe) survient dans sa zone des buts, le ballon sera placé à la ligne d'une verge et on accordera un premier essai automatique.

Certaines pénalités impliquent une perte d'essai (*loss of down*: **PE** dans les tableaux qui suivent); d'autres amènent l'attribution d'un premier essai automatique (*automatic first down*; **PEA** dans les tableaux qui suivent) à l'équipe qui en est victime. La plupart impliquent une reprise de l'essai (*repeat down*; **RE** dans les tableaux qui suivent). La plupart peuvent être acceptées ou déclinées par l'équipe qui en est victime. Les pénalités de 5 et de 10 verges ne sont pas cumulables, alors que celles de 15 verges le sont. Sauf exception, le nombre de verges de pénalités est compté depuis la ligne de mêlée.

Les pénalités de 5 verges

Les pénalités de cinq verges touchent principalement l'ordonnance du jeu, c'est-à-dire des actions qui se passent au moment où le ballon est mort: nombre de joueurs sur le terrain; hors-jeu; formation illégale; etc. Elles sanctionnent aussi des infractions mineures comme le fait d'entrer en contact involontairement et de manière légère avec le botteur après qu'il a effectué son botté (pas au football amateur, où cette nuance n'existe pas). Certaines sont signalées avant même que le ballon soit mis en jeu, d'autres pendant ou après le jeu. Si elles sont infligées à l'unité à l'attaque, le ballon est reculé de cinq verges et on reprend l'essai (*repeat the down*). Si la défensive est fautive, l'unité à l'attaque a le choix entre accepter le résultat du jeu (si celui-ci a eu lieu, bien sûr) et accepter la pénalité, soit avancer le ballon de cinq verges. Si l'unité défensive est punie et que les cinq verges suffisent pour l'obtention du premier essai, celui-ci est accordé. Certaines infractions (contact illégal avec un receveur, par exemple) entraînent un premier essai automatique (*automatic first down*).

Signal de l'arbitre	Défensive	Attaque	Unités spéciales
	Hors-jeu (*offside*) Un joueur se trouve dans la zone neutre au moment de la remise (*snap*) ; un défenseur touche un joueur à l'attaque avant la remise. RE		S'applique aussi.
		Procédure illégale (*illegal procedure*), ou faux départ (*false start*) Un joueur de la ligne offensive bouge après s'être stabilisé (*set*) ou franchit la ligne de mêlée avant la remise (snap). RE	S'applique aussi.

Signal de l'arbitre	Défensive	Attaque	Unités spéciales
		Délai (*delay of game*) Le ballon n'a pas été remis en jeu à l'intérieur du délai prescrit. RE	S'applique aussi.
		Formation illégale (*illegal formation*) Il n'y a pas sept joueurs sur la ligne de mêlée; ou les joueurs ne sont pas disposés selon les règles. RE	
	Trop de joueurs (*too many men*) RE	S'applique aussi.	S'applique aussi.
	Substitution illégale (*illegal substitution*) Remplacement d'un joueur quand le ballon est en jeu. RE	S'applique aussi.	S'applique aussi.

Signal de l'arbitre	Défensive	Attaque	Unités spéciales
		Déplacement illégal (*illegal shift*) N.B.: NFL seulement. La remise a été faite moins d'une seconde après qu'un joueur en déplacement dans le champ arrière se soit stabilisé. RE	
		Mouvement illégal (*illegal motion*) N.B.: NFL seulement. Le joueur en mouvement s'est déplacé vers l'avant; deux joueurs en mouvement au moment de la remise. RE	

Signal de l'arbitre	Défensive	Attaque	Unités spéciales
	Contact avec le receveur de passe au-delà de la zone permise (*illegal contact with receiver*) Le défenseur pousse ou retient le receveur de passe au-delà de 5 verges de la ligne de mêlée (NFL) ou au-delà de la ligne de mêlée (football canadien). **PEA**		
	Agripper le protecteur facial (*unintentional face mask*) Le joueur agrippe le protecteur facial de façon involontaire et le relâche aussitôt. **RE** N.B. : n'existe pas au football amateur		S'applique aussi.

227

Signal de l'arbitre	Défensive	Attaque	Unités spéciales
			Contact avec le botteur (*running into the kicker/punter*) Un joueur de la formation qui reçoit le botté entre en contact involontairement avec le botteur. RE
			Botté d'envoi n'ayant pas franchi les 10 verges (*kick off shorter than 10 yards*) Sera acceptée par l'équipe en défensive seulement si l'équipe à l'attaque a recouvré le ballon. RE

Les pénalités de 10 verges

Les pénalités de 10 verges visent les gestes illégaux dont l'objet est d'avantager son équipe, mais pas ceux qui visent à blesser un adversaire, à ridiculiser le jeu ou l'autre équipe, ou à s'en prendre aux arbitres. On y classe les pénalités pour avoir retenu, fait trébucher, porté les mains au visage, etc. Comme elles ont toujours lieu pendant une séquence de jeu, elles peuvent être acceptées ou refusées par l'équipe qui en est bénéficiaire. Comme les pénalités de cinq verges, elles peuvent faire reculer ou avancer le ballon selon que c'est l'unité à l'attaque ou l'unité défensive qui est fautive. Lorsqu'elles sont acceptées, elles entraînent généralement la reprise de l'essai, à moins bien sûr qu'elles ne permettent à l'équipe à l'attaque d'obtenir un premier essai.

Signal de l'arbitre	Défensive	Attaque	Unités spéciales
	Retenir (*holding*) Un joueur agrippe un adversaire par une pièce de son équipement et l'empêche de se déplacer ou le projette par terre. RE	S'applique aussi. 10 verges de l'endroit où la faute a été commise si elle a lieu après l'obtention du premier essai; depuis la ligne de mêlée sinon.	S'applique aussi.

229

Signal de l'arbitre	Défensive	Attaque	Unités spéciales
	Faire trébucher (*tripping*) Utiliser ses jambes pour pla-quer ou bloquer un adversaire. **RE**	S'applique aussi.	S'applique aussi.
	Blocage illégal (*clipping*) Après un échappé, une interception ou la récupération d'un botté bloqué, frapper un pla-queur potentiel sous la ceinture.	S'applique aussi.	S'applique aussi.
		Obstruction (*offensive pass interference*) Un attaquant empêche physi-quement un défenseur de cap-ter le ballon ou de se rendre au bal-lon qui a été lancé. **RE** N.B. : au football amateur, pénalité de 15 verges	

Signal de l'arbitre	Défensive	Attaque	Unités spéciales
		Obstruction planifiée (*picking*) Un attaquant bloque un défenseur avant que la passe soit captée pour l'empêcher de couvrir le receveur. RE	
		Mains au visage (*hands to the face*) Porter ses mains au visage d'un défenseur pour le bloquer. RE	S'applique aussi.
		Aider le coureur (*helping the runner*) Aider le porteur de ballon à gagner des verges en le poussant ou en le tirant. RE	

Signal de l'arbitre	Défensive	Attaque	Unités spéciales
		Passe illégale (*illegal forward pass*) Passe avant lancée par un joueur qui a franchi la ligne de mêlée; deuxième passe avant sur un même essai. **RE**	
		Se débarrasser intentionnelle-ment du ballon (*intentional grounding*) Le quart-arrière lance le ballon au sol, hors limites ou à un endroit où il n'y a pas de receveur éligible pour échapper à un sac. 10 verges à partir de la position du quart-arrière. **PE**	

Signal de l'arbitre	Défensive	Attaque	Unités spéciales
Frapper un ballon libre délibérément (*deliberately batting, kicking or punching a loose ball*) RE	S'applique aussi.	S'applique aussi.
			Bloc dans le dos (*illegal block in the back*) Lors des bottés d'envoi et de dégagement, il est interdit de bloquer un joueur adverse dans le dos. 10 verges depuis l'endroit où l'infraction a eu lieu.

Les pénalités de 15 verges

Les pénalités de 15 verges sanctionnent les gestes visant à rudoyer l'adversaire ou à le ridiculiser et ceux qui remettent l'intégrité du sport en question. Contrairement aux pénalités de 5 et de 10 verges, les pénalités de 15 verges sont cumulables. Elles entraînent aussi souvent un premier essai automatique (**PEA**). Avant d'indiquer la nature de la pénalité, l'arbitre en chef indiquera s'il s'agit de rudesse excessive (*unnecessary roughness*) ou d'une conduite antisportive (*unsportsmanlike conduct*). Ce dernier type d'infraction n'est imposé que quand le ballon est mort (*dead ball*). Certaines de ces infractions entraînent l'expulsion (*disqualification*) immédiate de leur auteur, d'autres seulement si l'arbitre juge que le geste était délibéré (*flagrant*).

| *L'arbitre indique rudesse excessive.* | *L'arbitre indique une conduite antisportive.* | *L'arbitre indique qu'un joueur est expulsé (football canadien).* |

Signal de l'arbitre	Défensive	Attaque	Unités spéciales
	Agripper par le protecteur facial (*grabbing the face mask*) Plaquer un joueur en l'agrippant par le protecteur facial. **PEA**	S'applique aussi. **RE**	S'applique aussi.
	Empilade (*piling*) Se projeter sur un ou des joueurs étendus par terre après le coup de sifflet. **PEA**	S'applique aussi. **RE**	S'applique aussi.
	Dardage (*spearing*) Plaquer un adversaire en le frappant avec son casque. **PEA** Expulsion si l'infraction est délibérée.	S'applique aussi. **RE**	S'applique aussi.

Signal de l'arbitre	Défensive	Attaque	Unités spéciales
	Coup à la tête (*blow to the head*) Frapper un adversaire à la tête avec le poing ou le bras. PEA Expulsion si l'infraction est délibérée.	S'applique aussi. RE	S'applique aussi.
	Frapper un officiel (*striking an official*) PEA Expulsion automatique.	S'applique aussi.	S'applique aussi.
	Rudesse contre le quart-arrière (*roughing the quarterback*) Un défenseur frappe le quart-arrière avec plus d'un pas d'élan après que la passe a été lancée. PEA Expulsion si l'infraction est délibérée.		

Signal de l'arbitre	Défensive	Attaque	Unités spéciales
			Rudesse contre le botteur (*roughing the punter/kicker*) Frapper le botteur (ou le teneur) sans avoir touché le ballon après que le botté a été effectué. PEA Expulsion si l'infraction est délibérée.
		Bloc sous la taille (*chop block*) RE	S'applique aussi.

Signal de l'arbitre	Défensive	Attaque	Unités spéciales
			Ne pas avoir accordé l'immunité de 5 verges (*immunity foul*) Un joueur se trouve à moins de 5 verges du receveur de botté quand celui-ci s'empare du ballon. Football canadien.
Narguer (*taunting*) NFL seulement. Se moquer d'un adversaire après un jeu réussi ou raté. **PEA**	S'applique aussi.	S'applique aussi.	

Les pénalités exceptionnelles

Enfin, quelques rares infractions entraînent une pénalité dont le nombre de verges est indéterminé ou supérieur à 15 verges : il s'agit de l'obstruction contre la passe en défensive (*defensive pass interference*) et de l'expulsion (*disqualification*).

Signal de l'arbitre	Défensive	Attaque	Attaque
	Obstruction contre la passe en défensive (*defensive pass interference*) Un défenseur empêche physiquement un receveur éligible de capter le ballon ou de se rendre au ballon qui a été lancé. **PEA** 10 verges de la ligne de mêlée si l'infraction a eu lieu à moins de 10 verges de celle-ci ; à l'endroit de l'infraction sinon ; à la ligne de 1 verge si elle a eu lieu dans la zone des buts.	S'applique aussi.	S'applique aussi.
	Expulsion (*disqualification*) **PEA** 25 verges, cumulables avec une autre infraction.		

POURQUOI N'Y A-T-IL PAS DE BAGARRES AU FOOTBALL?

Les amateurs auront remarqué qu'il y a parfois des bousculades pendant un match de football, mais pratiquement jamais de bagarre. Les raisons en sont simples: d'abord, le joueur qui se bat est automatiquement expulsé, ce qui entraîne une pénalité de 25 verges pour son équipe (cumulable avec une autre pénalité qui aurait pu être imposée avant); sans compter qu'en plus de rater le reste de la rencontre, le joueur risque d'être suspendu pour le match suivant selon les règlements de la ligue à laquelle il appartient. Quand on sait qu'une saison de football compte entre 8 et 18 matchs selon les ligues, un joueur va y penser à deux fois avant de manquer plus d'un match pour un accès de colère. De plus, le football est un sport de contacts physiques où le joueur qui estime avoir été frappé de manière illégale ou vicieuse par un adversaire pourra rendre à celui-ci la monnaie de sa pièce sur un jeu ultérieur, et ce même en toute légalité!

Liste des tableaux

CHAPITRE 4

CHAPITRE 5

Liste des encadrés

CHAPITRE 3

Liste des abréviations

AD : ailier défensif (*defensive end*)
AE : ailier espacé (*wide receiver*)
AI : ailier inséré (*slot receiver*)
AR : ailier rapproché (*tight end*)
B : botteur (*punter* ou *kicker*)
BP : botteur de précision (*place kicker*)
C : centre (*center* ou *snapper*)
C-A : centre-arrière (*full back*)
DA : demi à l'attaque (*half back, tail back* ou *running back*)
DC : demi de coin (*corner back*)
DD : demi défensif (*defensive back*)
DI : demi inséré (*slot back*)
DS : demi de sûreté (*safety*)
FA : football amateur (canadien)
G : garde (*guard*)
LCF : Ligue canadienne de football
M : maraudeur (*strong safety*)
NFL : National Football League
P : plaqueur (*tackle*)
PC : plaqueur au centre (*nose tackle*)
PD : plaqueur défensif (*defensive tackle*)
PE : perte d'essai (*loss of down*)

PEA : premier essai automatique (*automatic first down*)
Q-A : quart-arrière (*quarterback*)
RB : receveur de bottés (*kick* ou *punt receiver*)
RE : reprendre l'essai (*repeat the down*)
SE : secondeur extérieur (*outside linebacker*)
SI : secondeur intérieur (*inside linebacker*)
SLR : spécialiste des longues remises (*long snapper*)
T : teneur (*holder*)

Lexique français-anglais

A

À découvert : *free* ou *in the clear*
À un contre un : *isolate*
Accepter la pénalité : *accept the penalty*
Agilité : *agility*
Agripper par le protecteur facial : *grabbing the face mask*
Ailier défensif : *defensive end*
Ailier espacé : *wide receiver*
Ailier inséré : *slot receiver*
Ailier rapproché : *tight end*
Analyse de tendances : *scouting*
Angle de poursuite : *pursuit angle*
Angle droit : *square in* ou *out*
Appel de changement de jeu : *audible*
Arbitre : *official*
Arbitre en chef : *referee*
Arrêter le choix d'un jeu : *call a play*
Assignation : *assignment*
Attaque sans caucus : *hurry up offense*
Attrapé : *catch* ou *completion*
Attrapé en plongeant : *diving catch*
Attrapé loyal : *fair catch*
Attrapé sans contact : *fair catch*
Au sol : *down*

B

Balayage : *sweep*
Ballon dévié (ou effleuré) : *tipped ball*
Ballon en jeu : *live ball*
Ballon mort : *dead ball*
Ballon rabattu : *swatted* ou *batted down ball*
Barre horizontale : *cross bar*
Blessure : *injury*
Blitz : *blitz*
Blitz à retardement : *delayed blitz*
Bloc : *block*
Bloc à deux : *double team blocking*
Bloc au niveau des jambes : *clip*
Bloc illégal : *illegal block*
Bloc par derrière : *block in the back* ou *block from the rear*

Bloc sous la taille: *block below the waist*

Bombe (longue passe): *bomb*

Bonnes mains: *soft hands*

Botté au ras du sol: *low line drive* ou *squib*

Botté bloqué: *blocked punt* ou *blocked kick*

Botté court: *short kick* ou *onside kick*

Botté dévié: *tipped punt* ou *tipped kick*

Botté d'envoi: *kick off*

Botté de dégagement: *punt*

Botté de placement: *field goal*

Botté directionnel: *directional kick* ou *punt*

Botté flottant: *pooch kick*

Botté libre: *free kick*

Botteur de dégagement: *punter*

Botteur de précision: *place kicker*

Boucle: *curl*

Bras tendu: *stiff arm*

Brèche: *hole* ou *gap*

C

Capter: *catch*

Casque: *helmet*

Casquette: *cap* ou *hat*

Caucus: *huddle*

Centre: *center* ou *snapper*

Centre-arrière: *full back*

Chaîneurs: *chain crew*

Champ arrière: *backfield*

Champ arrière défensif: *secondary*

Changement de direction: *cutback*

Changement de position: *switch*

Changement de rythme: *change of pace*

Charger le quart: *rush the quarterback*

Chronométreur: *timekeeper*

Coin: *corner*

Combine: *stunt*

Conduite anti-sportive: *unsportsmanlike conduct*

Contact avec le botteur: *running into the kicker* ou *punter*

Contact illégal: *illegal contact*

Contre: *counter*

Contre-courant: *against the grain*

Contrôle du ballon: *ball control*

Converti: *conversion* ou *point after*

Coordonnateur à l'attaque: *offensive coordinator*

Coordonnateur à la défensive: *defensive coordinator*

Corridor de passe: *passing lane*

Côté aveugle: *blind side*

Côté faible: *weak side*

Côté fort: *strong side*

Couloir: *lane*

Coup à la tête: *blow to the head*

Court gain : *short gain*
Course vers l'extérieur : *outside run*
Course vers l'intérieur : *inside run* ou *run up the middle*
Couverture : *coverage*
Couverture double : *double coverage*
Crochet : *hook* ou *curl*

D

Dardage : *spearing*
De main à main : *hand off*
(Se) débarrasser du ballon : *get rid of the ball*
(Se) débarrasser illégalement du ballon : *intentional grounding*
Décliner la pénalité : *decline the penalty*
Décompte : *snapcount*
Décompte lent : *long count*
Décompte rapide : *quick count*
Décompte saccadé : *hard count*
(Se) défaire de plaqués : *break tackles*
Défensive contre la passe : *pass coverage*
Défensive mixte : *combo defense*
Dégainer avec rapidité : *quick release*
Délai : *delay of game*
Demande de mesurage : *measurement request*
Demi à l'attaque : *half back*,

tailback ou *running back*
Demi de coin : *corner back*
Demi inséré : *slot back* ou *wing back*
Demi de sûreté : *safety*
Demie : *half*
Dépanneur : *safety valve*
Déplacement : *shift*
Déplacement latéral : *roll out*
Dérobade du quart : *bootleg*
Dérobade nue : *naked bootleg*
Déséquilibre : *mismatch*
Deuxième essai : *second down*
Deuxième vitesse : *burst*
Dévier : *tip*
Donner du coude : *elbowing*
Doubler : *double team*

E

Échange de possession : *possession change*
Échappé : *fumble*
Échapper à un plaqueur : *shake off a tackle*
Empilade : *piling*
En jeu : *in bounds*
En touche : *out of bounds*
Entraîneur : *coach*
Entraîneur à l'attaque : *offensive coordinator*
Entraîneur à la défensive : *defensive coordinator*
Entraîneur en chef : *head coach*
Équipe des mains : *hands team*
Essai : *down*

Espace non défendu: *soft spot*
Espace libre: *open field*
Espion: *spy*
Étirer: *stretch*
Étude préalable: *scouting*
Éventail: *shotgun*
Expulsion: *disqualification*

F
Faire trébucher: *tripping*
Faufilade du quart:
  quarterback sneak
Faux départ: *false start*
Feindre la remise: *simulate the
  snap*
Feindre un bloc: *simulate a
  block*
Feinte: *fake* ou *move*
Feinte de course et passe: *play
  action pass*
Feinte de placement: *fake field
  goal*
Festin d'avant match: *tailgate
  party*
Flèche: *arrow*
Force: *strength*
Formation ailiers jumeaux:
  twin wides
Formation demis écartés: *split
  backs* ou *pro*
Formation en Y: *wishbone*
Formation illégale: *illegal
  formation*
Formation massive: *jumbo* ou
  goal line

Formation sans demi: *empty
  backfield*
Frapper un officiel: *striking an
  official*

G
Gagner le tirage: *win the toss*
Garde: *guard*
Geste délibéré: *flagrant*
Glisser: *slide*

H
Hachures: *hash marks*
Homme pour homme: *man to
  man*
Hors-jeu: *offside*
Hors limites: *out of bounds*
Hors plaqueur: *off tackle*
Hors position: *out of position*

I
Immunité: *immunity*
Impulsion: *jumping ability*
Improviser: *scramble*
Indicateur d'essais: *downsman*
Infraction: *infraction* ou *flag on
  the play*
Initier un bloc avec le casque:
  spear
Installé: *set*
(S') installer dans la zone: *sit in
  the zone*
Interception: *interception*

J

Jeu à contre-pied : *counter*

Jeu en deçà de la couverture : *underneath play*

Jeu au sol : *run* ou *running game*

Jeu commandé sur la ligne de mêlée : *audible*

Jeu d'attiré : *draw* ou *delay*

Jeu d'influence : *influence play*

Jeu renversé : *reverse*

Jeu truqué : *tricky play*

Joueurs de ligne à l'attaque : *offensive linemen*

Juge arrière : *back judge*

Juge de champ arrière : *backfield judge*

Juge de ligne : *line judge*

Juge de mêlée : *umpire*

L

Lancer arrière : *pitch* ou *toss*

Latérale : *lateral*

Lecture du jeu avant remise : *pre snap read*

Ligne à l'attaque : *offensive line*

Ligne d'engagement : *line of scrimmage*

Ligne de côté : *side line*

Ligne de fond : *end line*

Ligne de mise en jeu : *line of scrimmage*

Ligne défensive : *defensive line* ou *front four*

Ligne des buts : *goal line*

Lignes de remise en jeu : *hash marks*

Lire la défensive : *read the defense*

Livre de jeux : *play book*

M

Maraudeur : *strong safety*

Mauvaise remise : *bad snap*

Mise en jeu du ballon : *snap*

Mort subite : *sudden death*

Mouchoir : *flag*

Mouvement : *motion*

N

Narguer : *taunting*

O

Obstruction : *interference*

Obstruction contre la passe : *pass interference*

Officiels : *officials*

Option : *option*

P

Parapluie : *shotgun*

Pas : *step*

Passe avant : *forward pass*

Passe balancée : *swing pass*

Passe complétée : *completed pass*

Passe dans le flanc : *in the flat*

Passe de désespoir : *Hail Mary pass*

Passe en lob : *shovel pass*

Passe flottante : *lame duck* ou *wobbly pass*
Passe illégale : *illegal forward pass*
Passe incomplète : *incomplete pass*
Passe voilée : *screen pass*
Pénalité : *infraction* ou *foul*
Pénalités qui s'annulent : *infractions offset*
Pénétrer dans le champ arrière : *get penetration*
Perte d'essai : *loss of down*
Pile ou face : *heads or tails*
Plaquage aux chevilles : *shoestring tackle*
Plaquage en groupe : *gang tackling*
Plaquage en solo : *open field tackling* ou *unassisted tackle*
Plaqué : *tackled* ou *down by contact*
Plaqué raté : *missed tackle*
Plaquer : *tackle*
Plaqueur : *tackle*
Plaqueur au centre : *nose tackle*
Plaqueur défensif : *defensive tackle*
Plongeon : *dive*
Pochette protectrice : *pocket*
Point d'attaque : *point of attack*
Point faible : *weak spot*
Point tournant : *game breaker*
Portée du ballon : *carry*
Porter le ballon : *carry the ball*

Porteur de ballon : *ball carryer*
Poser un genou au sol : *knee down*
Position de départ : *stance*
Position sur le terrain : *field position*
Poteaux des buts : *goal posts*
Poteaux verticaux : *uprights*
Poursuite excessive : *overpursue*
Premier essai : *first down*
Premier essai automatique : *automatic first down*
Pression sur le quart-arrière : *pass rush*
Préventive : *prevent*
Procédure illégale : *illegal procedure*
Profondément en zone défensive : *downfield*
Progression : *forward progress*
Prolongation : *overtime*
Protecteur facial : *face mask*
Provoquer un hors-jeu : *draw offside*

Q
Quart : *quarter*
Quart-arrière : *quarterback*
Quatrième essai : *fourth down*

R
Rabattement (du quart) : *sack*
Rabatteurs : *gunners*
Rapidité : *quickness*
Receveur de botté : *kick receiver*

Receveur éligible : *eligible receiver*
Receveur inéligible : *ineligible receiver*
Receveur prioritaire : *primary receiver*
Reculer pour faire une passe : *drop back*
Reculer dans la pochette protectrice : *drop in the pocket*
Refuser (une pénalité) : *decline*
Règlements : *rules*
Repérer une ouverture : *pick a hole*
Reprise de l'essai : *repeat the down*
Responsabilités doubles : *dual responsibilities*
Retenir : *hold*
Retour : *comeback*
Retour de botté : *punt return* ou *kick return*
Revirement : *turnover*
Revirement sur essais : *turnover on downs*
Roue : *wheel*
Roulade du quart : *roll out*
Rudesse : *unnecessary roughness*
Rudesse contre le quart-arrière : *roughing the quarterback*

S

Sac (du quart) : *sack*
Sac de fèves : *bean bag*

Sceller : *seal*
Schéma défensif : *defensive scheme*
Secondeur : *linebacker*
Secondeur extérieur : *outside linebacker*
Secondeur intérieur : *inside linebacker*
Séquence : *drive*
Série d'essais : *set of downs*
Séries d'après saison : *playoffs*
Siffler : *whistle*
Simple : *single*
Sous le contrôle : *in the grasp*
Spécialiste des longues remises : *long snapper*
Substitution : *substitution*
Support : *tee*
Surcharge : *overload*
Surpasser en hauteur : *outjump*
Surtemps : *overtime*

T

Temps en vol : *hang time*
Temps mort : *time out*
Tendances : *patterns*
Teneur : *holder*
Tertiaire : *secondary*
Tirage au sort : *coin toss* ou *coin flip*
Torpille : *gunner*
Touché : *touchdown*
Touché de sûreté : *safety*
Tracé : *route*
Tracé à contretemps : *hitch*

Tracé oblique : *slant*
Tracé profond : *deep route*
Transformation : *conversion* ou
   point after
Transformation de deux
   points : *two points conversion*
Troisième essai : *third down*

U

Unité à l'attaque : *offensive unit*
Unité défensive : *defensive unit*
Unité spéciale : *special team*

V

Varier les jeux : *mix the plays*
Verges : *yards*

Verges gagnées après la passe :
   run after catch (RAC)
Verges par portée : *yards per
   carry*
Vigilance : *awareness*
Vitesse : *speed*

Z

Zone : *zone*
Zone défensive : *secondary*
Zone des buts : *end zone*
Zone neutre : *neutral zone*
Zone payante : *red zone*

Lexique anglais-français

A

Accept the penalty: accepter la pénalité
Against the grain: à contre-courant
Agility: agilité
Arrow: flèche
Assignment: assignation
Audible: appel de changement de jeu ou jeu commandé sur la ligne de mêlée
Automatic first down: premier essai automatique
Awareness: vigilance

B

Back judge: juge arrière
Backfield: champ arrière
Backfield judge: juge de champ arrière
Bad snap: mauvaise remise
Ball carryer: porteur de ballon
Ball control: contrôle du ballon
Batted down ball: ballon rabattu
Bean bag: sac de fèves

Blind side: côté aveugle
Blitz: *blitz*
Block: bloc
Block below the waist: bloc sous la taille
Block from the rear: bloc par derrière
Block in the back: bloc par derrière
Blocked punt ou blocked kick: botté bloqué
Blow to the head: coup à la tête
Bomb: bombe (longue passe)
Bootleg: dérobade du quart
Break tackles: se défaire de plaqués
Burst: deuxième vitesse

C

Call a play: arrêter le choix d'un jeu
Call an audible: commander un jeu sur la ligne de mêlée
Cap: casquette
Carry: portée du ballon

Carry the ball: porter le ballon
Catch: attraper ou capter
Center: centre
Chain crew: chaîneurs
Change of pace: changement de rythme
Clipping: bloquer au niveau des jambes
Coach: entraîneur
Coin toss ou *coin flip*: tirage au sort
Combo defense: défensive mixte
Comeback: retour
Completed pass: passe complétée ou attrapé
Completion: attrapé ou passe complétée
Conversion: converti ou transformation
Corner: coin
Corner back: demi de coin
Counter: contre ou jeu à contre-pied
Cover 0: cover 0 (aucun demi défensif en couverture profonde)
Cover 1: cover 1 (un demi défensif en couverture profonde)
Cover 2: cover 2 (deux demis défensifs en couverture profonde)
Cover 3: cover 3 (trois demis défensifs en couverture profonde)

Coverage: couverture
Cross bar: barre horizontale (ou transversale)
Curl: boucle ou crochet
Cutback: changement de direction

D

Dead ball: ballon mort
Decline the penalty: refuser ou décliner la pénalité
Deep route: tracé profond
Defensive coordinator: coordonnateur ou entraîneur à la défensive
Defensive end: ailier défensif
Defensive line: ligne défensive
Defensive linemen: joueurs de ligne défensive
Defensive scheme: schéma défensif
Defensive tackle: plaqueur défensif
Defensive unit: unité défensive
Delay: jeu d'attiré
Delay of game: délai
Delayed blitz: blitz à retardement
Dime: dime (deux demis défensifs de plus)
Directional kick ou *punt*: botté directionnel
Disqualification: expulsion
Dive: plongeon

Diving catch: attrapé en plongeant
Double coverage: couverture double
Double team: doubler
Double team blocking: bloc à deux
Down: essai ou au sol
Down by contact: plaqué
Downfield: profondément en zone défensive
Downsman: indicateur d'essais
Draw offside: provoquer un hors-jeu
Draw play: jeu d'attiré
Drive: séquence
Drop back: reculer pour faire une passe
Drop in the pocket: reculer dans la pochette protectrice
Dual responsibilities: responsabilités doubles ou mixtes

E
Elbowing: donner du coude
Eligible receiver: receveur éligible
Empty backfield: formation sans demi
End line: ligne de fond
End zone: zone des buts

F
Face mask: protecteur facial
Fair catch: attrapé loyal ou attrapé sans contact
Fake: feinte
Fake field goal: feinte de placement
False start: faux départ
Field goal: botté de placement
Field position: position sur le terrain
First down: premier essai
Flag: mouchoir
Flag on the play: infraction
Flagrant: geste délibéré
Forward pass: passe avant
Forward progress: progression
Foul: pénalité
Fourth down: quatrième essai
Free: à découvert
Free kick: botté libre
Front four: ligne défensive
Full back: centre-arrière
Fumble: échappé

G
Game breaker: point tournant
Gang tackling: plaquage en groupe
Gap: brèche
Get penetration: pénétrer dans le champ arrière
Get rid of the ball: se défaire du ballon
Goal line: ligne des buts

Goal line formation: formation massive

Goal posts: poteaux des buts

Grabbing the face mask: agripper par le protecteur facial

Guard: garde

Gunners: rabatteurs ou torpilles

H

Hail Mary pass: passe de désespoir

Half: demie

Halfback: demi à l'attaque

Halftime: mi-temps

Hand off: remise de main à main

Hands team: équipe des mains

Hang time: temps en vol

Hard count: décompte saccadé

Hash marks: hachures ou lignes de remise en jeu

Hat: casquette

Head coach: entraîneur en chef

Heads or tails: pile ou face

Helmet: casque

Hitch: tracé à contretemps

Hold: retenir

Holder: teneur

Hole: brèche

Hook: crochet

Huddle: caucus

Hurry up offense: attaque sans caucus

I

Illegal block: bloc illégal

Illegal contact: contact illégal

Illegal formation: formation illégale

Illegal forward pass: passe illégale

Illegal procedure: procédure illégale

Immunity: immunité

In bounds: en jeu

In the clear: à découvert

In the flat: dans le flanc

In the grasp: sous le contrôle

Incomplete pass: passe incomplète

Ineligible receiver: receveur inéligible

Infraction: infraction ou pénalité

Infractions offset: pénalités qui s'annulent

Influence play: jeu d'influence

Injury: blessure

Inside linebacker: secondeur intérieur

Inside run: course vers l'intérieur

Isolate: à un contre un

Intentional grounding: se débarrasser illégalement du ballon

Interception: interception

Interference: obstruction

J

Jumbo: formation massive
Jumping ability: impulsion

K

Kick off: botté d'envoi
Kick receiver: receveur de botté
Kick return: retour de botté
d'envoi
Knee down: poser un genou au
sol

L

Lame duck: passe flottante ou
ballottante
Lane: couloir
Lateral: latérale (passe arrière)
Line judge: juge de ligne
Line of scrimmage: ligne
d'engagement ou ligne de
mise en jeu
Linebacker: secondeur
Live ball: ballon en jeu
Long count: décompte lent
Long snapper: spécialiste des
longues remises
Loss of down: perte d'essai
Low line drive: botté au ras du
sol

M

Man to man: homme pour
homme
Measurement request: demande
de mesurage

Mismatch: déséquilibre
Missed tackle: plaqué raté
Mix the plays: varier les jeux
Motion: mouvement
Move: feinte

N

Naked bootleg: dérobade nue
Neutral zone: zone neutre
Nickel: nickel (un demi
défensif de plus)
Nose tackle: plaqueur au
centre

O

Off tackle: hors plaqueur
Offensive coordinator:
coordonnateur ou
entraîneur à l'attaque
Offensive line: ligne à l'attaque
Offensive linemen: joueurs de
ligne à l'attaque
Offensive unit: unité à
l'attaque
Official: arbitre ou officiel
Offside: hors-jeu
Onside kick: botté court
Open field: espace libre
Open field tackling: plaquage
en solo
Option: option
Out of bounds: en touche ou
hors limites
Out of position: hors position
Outjump: surpasser en hauteur

Outside linebacker: secondeur extérieur

Outside run: course vers l'extérieur

Overload: surcharge

Overpursue: poursuite excessive

Overtime: prolongation ou surtemps

P

Pass coverage: défensive contre la passe

Pass interference: obstruction contre la passe

Pass rush: pression sur le quart-arrière

Passing lane: corridor de passe

Patterns: tendances

Pick a hole: repérer une ouverture

Piling: empilade

Pitch: lancer arrière

Place kicker: botteur de précision

Play book: livre de jeux

Play action pass: feinte de course et passe

Playoffs: séries d'après saison

Pocket: pochette protectrice

Point after: converti ou transformation

Point of attack: point d'attaque

Pooch kick: botté flottant

Possession change: échange de possession

Pre snap read: lecture du jeu avant remise

Prevent: préventive

Primary receiver: receveur prioritaire

Pro formation: formation demis écartés

Punt: botté de dégagement

Punt return: retour de botté de dégagement

Punter: botteur de dégagement

Pursuit angle: angle de poursuite

Q

Quarter: quart ou *quarter* (trois demis défensifs de plus)

Quarterback: quart-arrière

Quarterback sneak: faufilade du quart

Quick count: décompte rapide

Quick release: dégainer avec rapidité

Quickness: rapidité

R

Read the defense: lire la défensive

Red zone: zone payante

Referee: arbitre en chef

Repeat the down: reprise de l'essai

Reverse: jeu renversé
Roll out: déplacement latéral ou roulade du quart
Roughing the quarterback: rudesse contre le quart-arrière
Route: tracé
Rules: règlements
Run: course ou jeu au sol
Run after catch (RAC): verges gagnées après la passe
Run up the middle: course vers l'intérieur
Running back: demi à l'attaque
Running into the kicker ou *punter*: contact avec le botteur
Rush the quarterback: charger le quart

S
Sack: sac ou rabattement (du quart)
Safety: demi de sûreté ou touché de sûreté
Safety valve: dépanneur
Scramble: improviser
Screen pass: passe voilée
Scouting: étude préalable ou analyse de tendances
Seal: sceller
Second down: deuxième essai
Secondary: champ arrière défensif, zone défensive ou tertiaire

Set: installé
Set of downs: série d'essais
Shake off a tackle: échapper à un plaqueur
Shift: déplacement
Shoestring tackle: plaquage aux chevilles
Shotgun: éventail ou parapluie
Short gain: court gain
Short kick: botté court
Shovel pass: passe en lob
Side line: ligne de côté
Simulate a block: feindre un bloc
Simulate the snap: feindre la remise
Single: simple
Sit in the zone: s'installer dans la zone
Slant: tracé oblique ou diagonal
Slide: glisser
Slot back: demi inséré
Slot receiver: ailier inséré
Snap: mise en jeu du ballon
Snapcount: décompte
Snapper: centre
Soft hands: bonnes mains
Soft spot: espace non défendu
Spearing: dardage ou initier un bloc ou un plaqué avec le casque
Special team: unité spéciale
Speed: vitesse

Split backs formation:
formation demis écartés
Spy: espion
Square in: angle droit vers
l'intérieur
Square out: angle droit vers
l'extérieur
Squib: botté au ras du sol
Stance: position de départ
Step: pas
Stiff arm: bras tendu
Strength: force
Stretch: étirer
Striking an official: frapper un
officiel
Strong safety: maraudeur
Strong side: côté fort
Stunt: stunt ou combine
Substitution: substitution
Sudden death: mort subite
Swatted ball: ballon rabattu
Sweep: balayage
Swing pass: passe balancée
Switch: changement de
position

T
Tackle: plaquer ou plaqueur
Tackled: plaqué
Tail back: demi à l'attaque
Tailgate party: festin d'avant
match
Taunting: narguer
Tee: support
Third down: troisième essai

Tight end: ailier rapproché
Time out: temps mort
Timekeeper: chronométreur
Tip: dévier
Tipped ball: ballon dévié ou
effleuré
Tipped punt ou *tipped kick*:
botté dévié
Toss: lancer arrière
Touchback: botté pénétrant
dans la zone des buts (NFL)
Touchdown: touché
Tricky play: jeu truqué
Tripping: faire trébucher
Turnover: revirement
Turnover on downs: revirement
sur essais
Twin wides: formation ailiers
jumeaux
Two points conversion:
transformation de deux
points

U
Umpire: juge de mêlée
Unassisted tackling: plaquage
en solo
Underneath play: jeu en deçà
de la couverture
Unnecessary roughness:
rudesse
Unsportsmanlike conduct:
conduite anti-sportive
Uprights: poteaux verticaux

W

Weak side: côté faible
Weak spot: point faible
Wheel: roue
Whistle: siffler
Win the toss: gagner le tirage
au sort
Wing back: demi inséré
Wide receiver: ailier espacé
Wishbone: formation en Y
Wobbly pass: passe flottante

Y

Yards: verges
Yards per carry: verges par
portée

Z

Zone: zone

Index

· · · · · · · · · ·

NOTES

NOTES